KB178015

블렌더 그리즈 펜슬 기초

김광채 지음

부크크

2023

목   차

1. 그리즈 펜슬 시작하기 / 5

2. 선 그리기와 수정하기 / 15

3. 채우기 / 60

1. 그리즈 펜슬 시작하기

1.1. 이 책에서 사용하는 블렌더 버전

이 책에서는 블렌더 3.6.0 버전을 사용합니다. 그러나 이전 버전이든, 더 최신 버전이든, 별 차이는 없을 것으로 생각됩니다. 이는, 3D 객체를 평면인 컴퓨터 화면에 구현하는 기법이 혁명적으로 바뀌는 일은 쉽게 일어나지 않기 때문입니다.

이 책은 블렌더에 관한 최소한의 기본 지식을 가지신 분들을 위한 책이므로, 블렌더를 다운받아 설치하는 방법에 대해서는 설명하지 않겠습니다.

1.2. 그리즈 펜슬이란?

그리즈 펜슬(Grease Pencil)은 본디 문방구 중에서 경화(硬化)된 무독성(無毒性) 불투명(不透明) 유색(有色) 왁스로 만든 필기구로서, 예를 들면, 유리나 세라믹 같이, 단단하고 광택이 나는 비다공성(非多孔性) 표면에 무슨 표시를 하는 데 유용합니다.

그러나 블렌더에서 그리즈 펜슬은 2D 그래픽, 특히 2D 애니메이션을 만드는 데 특화된 도구를 말합니다. 2015년 1월 릴리즈된 버전 2.73 이후 블렌더의 중요한 도구로 자리잡았습니다.

그런데, '3D 그래픽 프로그램인 블렌더 안에 굳이 그리즈 펜슬과 같은 2D 그래픽 및 애니메이션에 특화된 도구를 포함시킬 필요가 있을까?' 하는 의문이 들 수 있습니다. 이는, 일반 상용 3D 그래픽 프로그램 안에는 이런 도구가 포함되 있는 경우를 찾아보기가 힘들기 때문입니다.

하지만, 우리가 살고 있는 현실 세계를 보면, 분명히 3D 공간 안인데도, 평면을 지닌 객체가 무수히 많이 있고, 어떤 평면 위에 2D 그래픽 내지 2D 애니메이션이 구현되는 경우가 많이 있습니다.

그리고 3D 그래픽 내지 3D 애니메이션 제작 기술을 익히려 하는 사람은 2D 그래픽 내지 2D 애니메이션 제작 기술부터 익히는 것이 올바른 순서일 것으로 생각됩니다. 이는, 단순한 문제를 잘 해결할 수 있어야, 복잡한 문제도 잘 해결할 수 있을 것이기 때문입니다.

1.3. 그리즈 펜슬과 마우스

PC로 그래픽 작업을 하려면, 타블렛을 사용하면 더 편할 수가 있습니다. 특히 전문적, 직업적으로 그래픽 작업을 하는 분들에게는 타블렛이 꼭 필요할 것 같습니다. 그러나 이 책은 블렌더 초심자들을 위한 것입니다. 초심자들은 자기의 작품을 가지고 수익을 바랄 수가 거의 없습니다. 따라서, 고가의 액정 타블렛을 구입하기가 쉽지 않습니다. 그래서 필자는 이 책을 마우스 사용을 전제로 하고 쓰려 합니다. 마우스로 작업하기가 액정 타블렛으로 작업하기보다 조금 더 어렵기는 하지만, 그래도 가능한 것이 사실이기 때문입니다.

1.4. 그리즈 펜슬을 시작하는 방법

그리즈 펜슬을 시작하는 첫 번째 방법은, 블렌더를 켜고서, 바로 시작하는 방법입니다. 두 번째 방법은, 블렌더로 3D 작업을 하던 도중, 2D 작업을 하기 위해 그리즈 펜슬 기능을 사용하는 방법입니다. 필자는, 첫 번째 방법으로 시작하도록 하겠습니다.

블렌더를 켜면, 다음과 같은 화면이 뜹니다. 이 화면 중앙에는 스플래시 스크린(Splash Screen)이 있습니다.

스플래시 스크린 안을 자세히 보면, 새로운 파일(New File)의 하위 메뉴 안에 <2D Animation>이 있습니다. 여기를 클릭하면, 다음과 같은 그리즈 펜슬 시작 화면이 뜹니다.

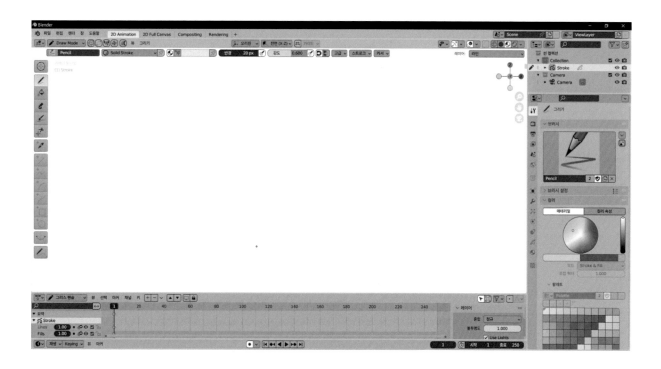

이 화면을 우리는 2D 애니메이션 워크스페이스(2D Animation Workspace)라 합니다. 마치 블렌더 작업 화면을 3D 일반 워크스페이스(3D General Workspace)라 하는 것처럼 말입니다.

1.5. 2D 애니메이션 워크스페이스 개관

2D 애니메이션 워크스페이스는 다음과 같은 구조로 되어 있습니다.

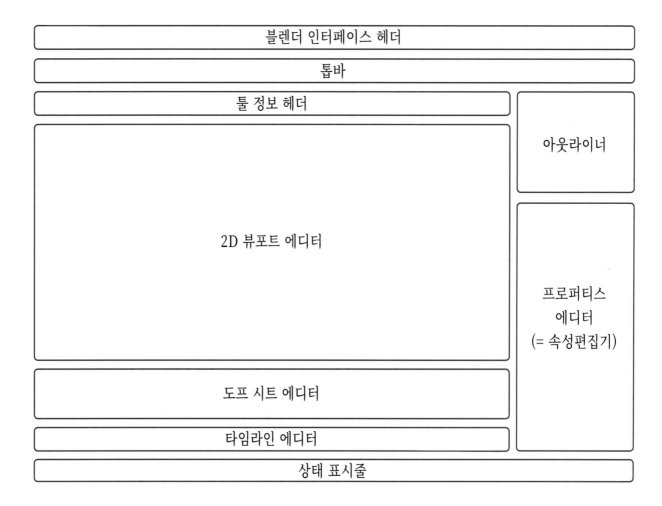

1.6. 2D 애니메이션 워크스페이스의 각부 설명

1.6.1. 블렌더 인터페이스 헤더

워크스페이스 최상단의 블렌더 인터페이스 헤더(Blender Interface)를 보면, 왼쪽에 블렌더 로고가 있고, 오른쪽에 확장 버튼(Extension Button)이 있습니다.

☞ 확장 버튼(Extension Button)

이것은 아래한글이든, 파워포인트든, 일러스트레이터든, 모든 컴퓨터 프로그램에 – 모양은 조금씩 다를 수 있지만 – 다 있다고 보면 됩니다.

1.6.2. 톱바

톱바(Topbar)는 블렌더 인터페이스 헤더 바로 밑에 있습니다.

이 바의 왼쪽 부분을 좀 더 자세히 보겠습니다.

디폴트로 <2D Animation>이 선택돼 있습니다. 그래서 아웃라이너(Outliner)와 프로퍼티스 에디터 (Properties Editor)가 보입니다. 만약 <2D Animation> 오른쪽의 <2D Full Canvas>를 클릭하면, 화면이 더 넓어집니다.

좀 더 자세히 살펴보면, 화면 오른쪽에서는 아웃라이너와 프로퍼티스 에디터가 사라졌고, 화면 아래쪽에서는 상태 표시줄(Status Bar)이 사라졌습니다. 또 타임라인 에디터(Timeline Editor)의 폭이 대폭 줄었습니다.

현 단계에서는 톱바에서 <편집> 메뉴 정도만 더 살펴보면 될 것 같습니다.

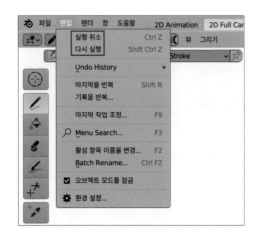

<편집> 메뉴 중에서도 <실행 취소>와 <다시 실행>이 중요할 것입니다. 왜냐하면, 우리는 작업을 하는 과정에서 수정할 필요를 느낄 때가 자주 있기 때문입니다.

1.6.3. 툴 정보 헤더

톱바의 바로 밑에 있는 툴 정보 헤더(Tool Information Header)는 좌측 부분, 중간 부분, 우측 부분으로 나누어 볼 수 있습니다.

이 중 우측 부분은 블렌더 3D 일반 워크스페이스와 사실상 같습니다. 따라서, 여기서 따로 설명할 필요가 없을 것 같습니다.

하지만, 좌측 부분과 중간 부분은 블렌더 3D 일반 워크스페이스와 상당히 다른 모습을 가지고 있습니다.

그러나 지금 단계에서 중간 부분에 대한 설명은 생략해도 될 것으로 보입니다. 그래서, 좌측 부분으로 가보겠는데, 여기서도 <Draw Mode>라는 메뉴 하나만 살펴보겠습니다.

<Draw Mode> 메뉴를 클릭하면, 아래와 같이 드롭다운 메뉴창이 펼쳐집니다.

그리즈 펜슬에는 도합 6개의 모드가 있지만, 그 중 가장 기본적인 모드는 <Draw Mode>입니다. 나머지 모드에 대해서는 나중에 차차 알아가도록 하겠습니다.

1.6.4. 2D 뷰포트 에디터

블렌더 3D 일반 워크스페이스에 3D 뷰포트 에디터(3D Viewport Editor)가 있듯이, 그리즈 펜슬의 2D 애니메이션 워크스페이스에는 2D 뷰포트 에디터(2D Viewport Editor)가 있습니다.

보통 줄여서 2D 뷰포트라 합니다. 때로는 그냥 뷰포트라고도 합니다.

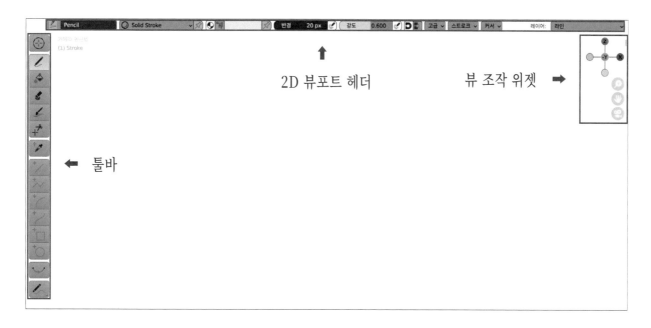

2D 뷰포트는 일종의 캔버스(Canvas)라 할 수 있습니다. 여기에 사용자가 원하는 그림을 그릴 수가 있습니다. 이 뷰포트 상단에는 2D 뷰포트 헤더(2D Viewport Header)가 배치돼 있습니다. 이 헤더의 각 메뉴에 대하여는 선 그리기나 면 채우기를 취급할 때 자세히 살펴보도록 하겠습니다.

2D 뷰포트 왼쪽에는 툴바(Toolbar)가 있습니다. 현재는 툴바가 위에서 아래로 길게 늘어져 있습니다. 이 모양을 바꾸기 위해, 마우스 포인터를 툴바 오른쪽 경계선에 갖다댄 다음, 왼쪽 마우스 버튼(= LMB)을 누른 채 오른쪽으로 조금 드래그합니다. 툴바의 모양은 이렇게 바뀝니다.

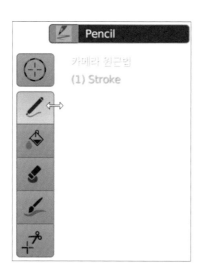
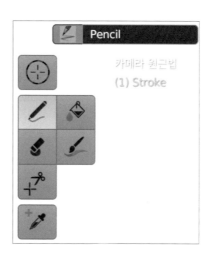

드래그를 좀 더 하면, 툴바의 모양은 다음과 같이 바뀝니다. 그러니까, 각 툴의 아이콘 옆에 그 이름도 표시됩니다. 디폴트로 그리기(Draw) 툴이 선택되어 있습니다.

툴바는 더 길지만, 아랫부분은 생략하였습니다.

뷰 조작 위젯(View Manipulation Widgets)은 오르빗 기즈모(Orbit Gizmo)와 네비게이션 기즈모(Orbit Gizmo)로 구성되어 있습니다.

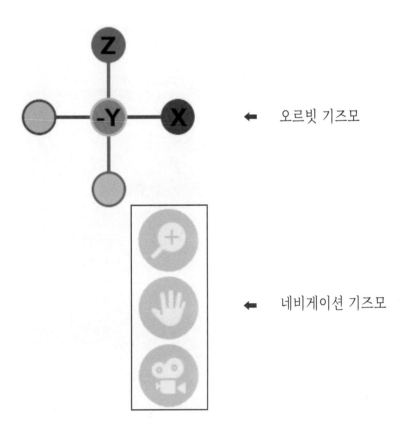

1.6.5. 아웃라이너

아웃라이너(Outliner)를 보면, <Stroke>라는 개체가 디폴트로 체크되어 있습니다. 이것은 언제든지 선을 그을 준비가 되어 있다는 뜻입니다.

1.6.6. 프로퍼티스 에디터

속성편집기 혹은 프로퍼티스 에디터(Properties Editor)에서는 활성 도구 및 작업공간을 설정(Active Tool and Workspace Settings)이 디폴트로 선택되어 있습니다.

이 에디터의 현재 모습을 통해, 필기 도구로 회색 연필을 사용할 수 있다는 것을 알 수 있습니다.

컬러 휠(Color Wheel)과 컬러 슬라이더(Color Slider)에 대한 설명은 나중으로 미루겠습니다.

팔레트(Palette)를 통해서는 연필심의 색깔을 원하는 대로 쉽게 바꿀 수 있습니다.

1.6.7. 타임라인 에디터

디폴트 화면에 타임라인 에디터(Timeline Editor)가 제시된 것은, 그리즈 펜슬이 기본적으로 2D 애니메이션 제작을 위한 도구로 개발되었기 때문입니다. 그러나 본서에서는 2D 애니메이션 제작에 관한 내용은 다루지 않겠습니다.

1.6.8. 상태 표시줄

상태 표시줄(Status Bar)은, 마우스 커서가 현재 있는 곳에서, 마우스의 세 버튼을 가지고 할 수 있는 일을 표시합니다. 이 줄의 맨 오른쪽에는 현재의 블렌더 버전이 제시돼 있습니다.

마우스와 관련된 부분만 확대해 보겠습니다.

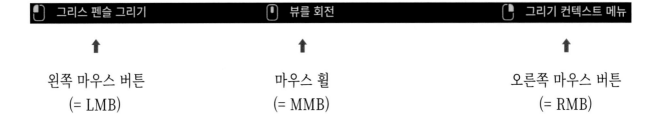

그리즈 펜슬의 워크스페이스는 초심자에게 조금 복잡하게 느껴질 수 있습니다. 필자가 일러스트레이터와 인디자인을 처음 배울 때도, 그 인터페이스가 약간 복잡하다는 느낌을 가진 적이 있습니다.

사실, 블렌더 자체의 3D 워크스페이스가 복잡하게 보입니다. 이는, 블렌더가 자유소프트웨어인데다가, 그래픽 프로그램과 애니메이션 프로그램을 겸하기 때문으로 여겨집니다.

그리즈 펜슬 역시 애니메이션 제작까지 할 수 있게 되어 있습니다. 그래서 약간의 진입 장벽이 느껴지게 되어 있는 것 같습니다. 그래도 꾸준히 공부하다 보면, 언젠가는 아래한글처럼 친숙하게 될 날이 있을 것입니다.

2. 선 그리기와 수정하기

우리는 그림을 그릴 때 보통, 어떤 대상의 윤곽선부터 스케치를 합니다. 그 대상의 어떤 면(面)을 색으로 채워 넣는 작업은 나중에 합니다. 그러므로 선(線)을 긋는 일은 그림 그리기의 기본이라 할 수 있습니다.

그런데 선의 종류는 크게 직선(直線)과 곡선(曲線)으로 나뉩니다. 종이 위에 손으로 직선을 정확하게 긋기는 어렵습니다. 반면, 곡선은 좀 더 쉽게 그어지는 것처럼 느껴집니다. 물론, 곡선도 우리가 원하는 대로 긋는 것은 쉽지 않습니다. 그래도 직선보다는 곡선을 긋는 것이 더 쉬운 것처럼 느껴지기 때문에, 그리즈 펜슬 공부를 할 때도 우리는 자유곡선(自由曲線, freehand curve)을 임의로 그리고 지우는 법부터 배울 필요가 있을 것 같습니다.

2.1. 자유곡선을 그린 다음 지우기 연습

그리즈 펜슬을 앞에서 소개한 방법으로 새로 시작합니다. 그리고 2D 뷰포트에 임의로 자유곡선을 하나 그려 봅니다.

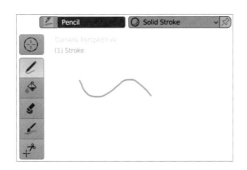

생각처럼 미려(美麗)하게 그려지지 않는 것 같습니다.

그래서 이번에는 <SHIFT 키>를 누른 채 비슷한 모양의 곡선을 그려 보겠습니다.

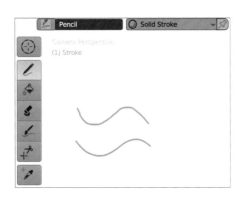

아까보다는 더 나은 것 같습니다.

마음에 드는 결과물을 얻는 것은 쉬운 일이 아니라 생각됩니다. 그래서 지우기(Erase) 툴이 필요한 것 같습니다.

툴바에서 <지우기> 아이콘을 클릭하면, 화면에 지우개가 나타납니다. 지우개의 디폴트 반경(Radius)은 30px로 되어 있고, 디폴트 강도(Strength)는 0.600으로 되어 있습니다. 필자는 강도를 1.000으로 높여 주었습니다.

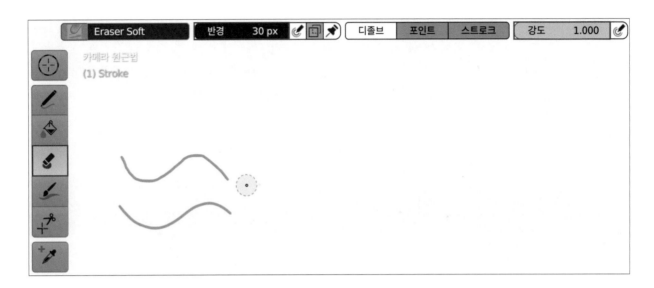

2.2. 선 그리기

2.2.1. 브러시의 종류

블렌더는 여러 종류의 브러시(Brush)를 제공하고 있습니다. 디폴트로 제시된 것은 F Pencil입니다. 이 중에서 사용자의 필요와 취향에 따라 고르면 됩니다. 단, 필자는 – 특별한 경우가 아니면 – F Pencil 사용을 전제로 설명해 나가겠습니다.

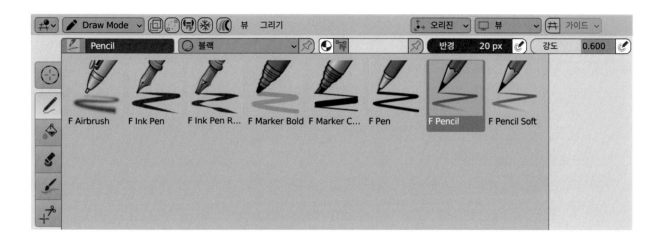

2.2.2. 선의 강도

그리즈 펜슬에서 어떤 선을 그을 때, 가장 먼저 고려해야 할 사항은 선의 강도(强度, Strength)일 것 같습니다. 즉, 선이 얼마나 진한지, 아니면, 연한지 하는 것입니다.

뷰포트에 다음과 같이 곡선을 하나 마우스를 이용해 그려 보십시다.

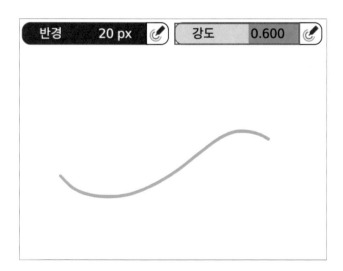

그리즈 펜슬이 제공하는 선의 디폴트 색깔은 회색입니다. 그런데, 뷰포트의 색깔도 조금 더 연하기는 하지만, 같은 회색 종류에 속하기 때문에, 우리가 그린 선이 충분히 진하다고 느껴지지 않을 수 있습니다. 이렇게 된 것은, 선의 강도의 디폴트 값이 0.600으로 되어 있기 때문입니다. 그러므로, 선을 좀 더 진하게 그리기 원한다면, 강도를 높여 주면 됩니다.

　최소 강도는 0.000이고 최대 강도는 1.000입니다.

　선의 강도는 원래 불투명도(不透明度, Opacity)에 따라 정해집니다. 즉, 불투명도가 높으면, 강도가 강해지고, 불투명도가 낮으면, 강도가 약해집니다.

강도가 0.600일 때와 1.000일 때의 선의 모습을 비교하면 다음과 같습니다.

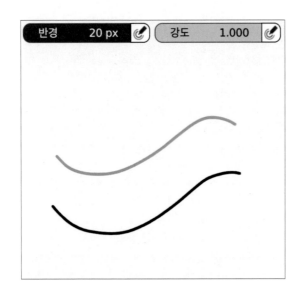

2.2.3. 선의 굵기

선의 굵기(Thickness)도 중요한 고려 사항입니다. 그리즈 펜슬에서는 선의 굵기를 통상 연필심의 반경 (半徑, Radius)으로 정합니다.

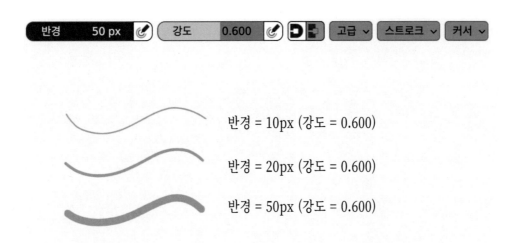

반경의 단위 px는 pixel의 약자이며, pixel의 어원은 다음과 같습니다.

  pixel < pic[ture] (= 그림) + element (= 요소)

화소(畵素)로 번역됩니다. 그리즈 펜슬에서 선의 최소 반경은 1px로 되어 있고, 최대 반경은 500px로 되어 있습니다.

2.2.4. 선의 색

선의 색(Color)은 디폴트로 Black, 곧, 검은색으로 정해졌습니다. 다만, 디폴트 불투명도, 곧, 강도가 0.600으로 정해져 있기 때문에, 회색 선이 그어지는 것입니다.

그리즈 펜슬에서는 초심자가 선의 색을 바꾸는 방법을 직관적으로 파악하기가 어렵게 되어 있습니다. 이것이 자유소프트웨어인 블렌더의 한계일 수 있지만, 우리는 적응해 가는 도리밖에 없습니다.

선의 색을 바꾸기 위해서는 일단 프로퍼티스 에디터로 가서, 매트리얼 프로퍼티스를 선택합니다. 그러면, 다음과 같은 표면(Surface) 창을 보게 됩니다.

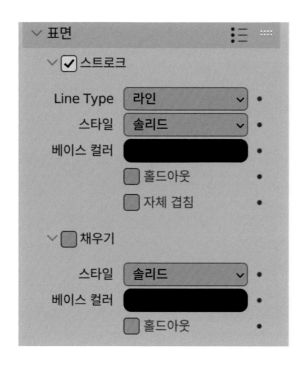

스트로크(Stroke)의 베이스 컬러(Base Color)와 채우기(Fill)의 베이스 컬러가 다 검은색으로 되어 있음을 알 수 있습니다.

그러나 현 단계에서는 채우기의 베이스 컬러는 그냥 넘어가도록 합니다.

서예(書藝)나 회화(繪畵)에서 스트로크란 본디 '필획'(筆劃)을 의미합니다. 이는, 붓글씨나 그림을 그릴 때, 붓으로 획을 긋기 때문입니다.

그리즈 펜슬에서 스트로크는 보통 화면에 그려진 선, 특히 곡선을 말합니다. 때로는 어떤 도형의 외곽선을 지칭하기도 합니다.

기하학에서 선은, 직선이든, 곡선이든, 길이만 있고, 폭은 없는 것으로 정의(定義)됩니다. 하지만, 그리즈 펜슬에서 스트로크는, 길이뿐 아니라 폭도 있습니다.

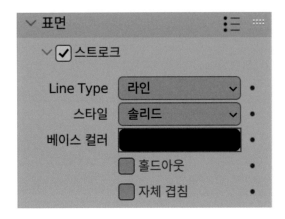

위의 창에서 <베이스 컬러>라는 멘트 옆의 검은색 박스를 클릭하면, 컬러 피커(Color Picker)가 나타납니다. 컬러 슬라이더 안에 있는 흰색 점을 최대한 위로 올려 주면, 컬러 휠의 색깔이 바뀝니다.

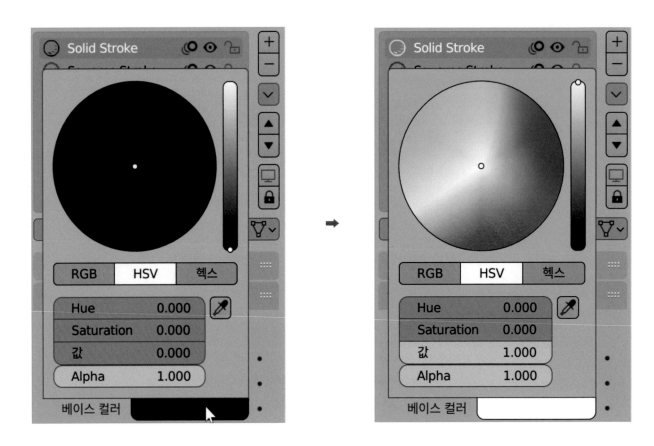

이제 컬러 휠 안에 있는 흰색 점을 이리저리 움직여, 색상(色相, Hue)과 채도(彩度, Saturation)를 바꿔 주면 됩니다.

컬러 슬라이더 안의 흰색 점은 명도(明度, Value)를 조절하는 일을 합니다.

투명도(透明度, Transparency)를 조절하려면, Alpha 값을 바꾸어 줍니다. Alpha=1.000은 불투명, Alpha= 0.500는 반투명, Alpha=0.000은 투명입니다.

우리는 색을 정의할 때, HSV 값보다는 RGB 값으로 정의하는 것이 더 익숙할 수 있습니다. 그러나 블렌더가 사용하는 RGB 값은 일반적인 RGB 값하고는 다르기 때문에 불편합니다. 그래서, 차라리 헥스(HEX) 값을 가지고 색을 정의하는 것이 더 편할 수 있습니다. 여기 몇 가지 우리에게 익숙한 색의 헥스 값을 예시해 보겠습니다.

빨강	FF0000	파랑	0000FF	검정	000000
노랑	FFFF00	초록	00FF00	하양	FFFFFF

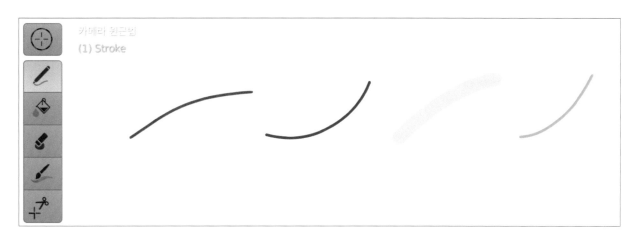

☞ 선의 강도를 1.000으로 높여 주었습니다.

2.2.4. 선의 캡 타입

컴퓨터로 그림을 그릴 때는, 매우 정밀한 작업이 가능합니다. 그러므로, 선의 끝 모양까지 고려의 대상이 됩니다. 그리즈 펜슬에서는 선의 끝을 캡(Cap)이라 하며, 디폴트 타입을 둥근(Round) 것으로 해 두었습니다.

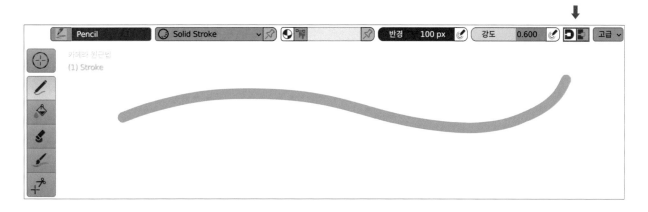

 왼쪽 것은 둥근 타입이고 오른쪽 것은 플랫(Flat)(= 평평한) 타입입니다.

다음은 플랫 타입의 캡을 지닌 곡선을 그린 예입니다.

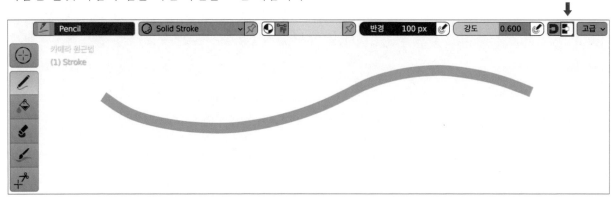

2.2.5. 직선 그리기

지금까지는 자유곡선을 그리면서 설명하였습니다. 그러나 우리는 직선(直線, Straight Line)을 그리고 싶을 때가 자주 있습니다. 이런 때를 대비하여 그리즈 펜슬은 툴바에 라인(Line) 툴을 준비해 두었습니다.

직선을 그리기 위해서는 뷰포트에 격자(Grid)가 표시되는 것이 좋습니다. 툴 정보 헤더 우측으로 가서, 오버레이(Overlays) 단추를 클릭하여, 뷰포트 오버레이(Viewport Overlays) 창이 뜨게 합니다.

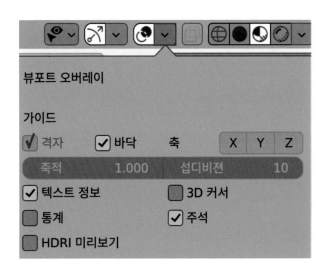

현재는 격자(Grid)가 체크되어 있지 않습니다. 그래서, 체크해 줍니다.

그리고 아웃라이너로 가서, <카메라>를 꺼 줍니다.

그리고 내비게이션 기즈모에서 <카메라> 아이콘을 클릭하면, 뷰포트가 다음과 같이 바뀝니다.

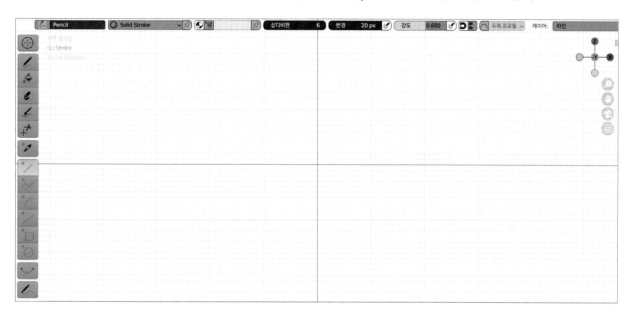

마우스 포인터를 원하는 곳에 갖다 놓습니다. 그리고 LMB를 누르면, 그곳이, 내가 그릴 직선의 시작점 (Starting Point)이 됩니다.

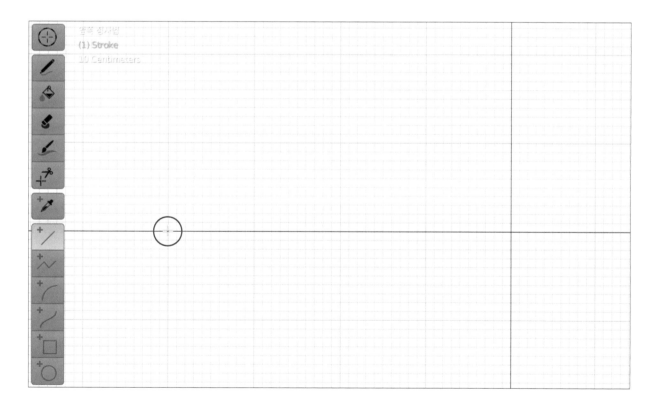

LMB를 누른 채, 마우스 포인터를 원하는 곳을 향해 끌고 갑니다.

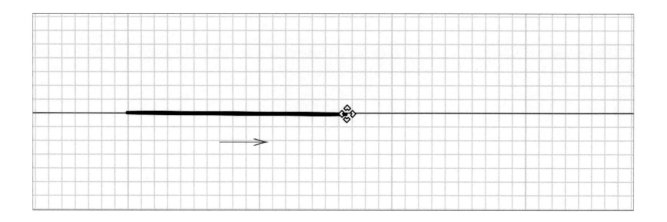

마우스 포인터가 원하는 곳에 도달했다고 여겨지면, LMB에서 손가락을 뗍니다. 그러면, 다음과 같은 화면을 얻습니다.

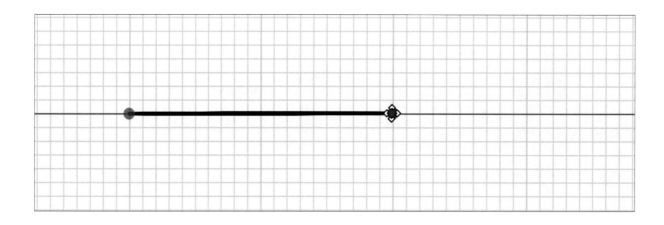

직선 양쪽 끝에 굵은 파란색 점이 있습니다. 시작점인 왼쪽 점은 조금 연하고, 끝점(End Point)인 오른쪽 점은 좀 더 진합니다.

만약 점의 위치가 마음에 들지 않으면, 마우스 포인터를 점 위에 갖다대고, 점의 위치를 옮길 수 있습니다. 마음에 들면, <엔터>를 칩니다. 우리가 원하는 직선을 얻게 됩니다.

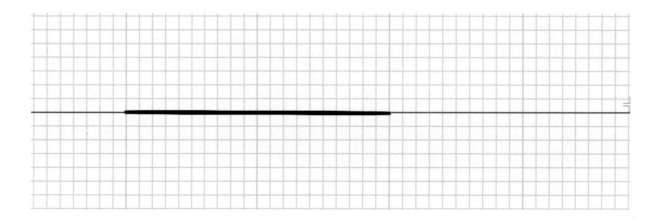

수평선이나 수직선을 정확히 그리고 싶을 때는 <SHIFT 키>를 이용합니다.

1) 일단 마우스 포인터를 원하는 위치로 이동시킨 다음, LMB를 눌러 시작점을 정합니다.

2) <SHIFT 키>를 누른 채, 마우스 포인터를 원하는 방향으로 끌고 갑니다.

3) 수평선을 그릴 때는 좌우로, 수직선을 그릴 때는 상하로 끌고 갑니다.

4) 마우스 포인터가 원하는 곳에 도달했다고 여겨지면, LMB에서 손가락을 뗍니다.

5) <엔터>를 쳐서 확정합니다.

직선을 정확히 45도 방향으로 그리고 싶을 때도 비슷한 방법을 사용합니다. 단, 마우스 포인터를 끌고 가는 방향을 대강 45도 방향으로 해 줍니다.

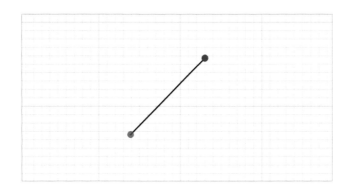

그런데 직선 하나를 그은 다음, 이 직선에 연결된 다른 직선을 긋기 원한다 해 보십시오. 두 번째 직선의 방향이 첫 번째 직선의 방향과 같을 수도 있고, 다를 수도 있습니다. 어떤 경우든, 첫 번째 직선에 연결된 새로운 직선을 긋기 원한다면, 블렌더에서 자주 사용하는 돌출(突出) 내지 익스트루드(Extrude) 기능을 사용하면 됩니다.

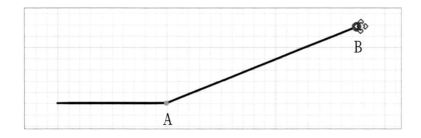

A가 첫 번째 직선의 끝점이라 할 때, 일단 여기까지 그은 다음, 여기에서 익스트루드 단축키 <E>를 누른 다음, 마우스 포인터를 원하는 방향으로 끌고 갑니다. 만약 B 쪽으로 끌고 갔다고 하면, 위와 같은 그림을 얻을 수 있습니다.

만약 두 번째 직선이 B에서 끝났다고 하면, B를 새로운 시작점으로 삼고, 새로운 직선을 그을 수 있습니다. 이러한 과정은 사용자의 뜻에 따라 무한 반복될 수 있습니다.

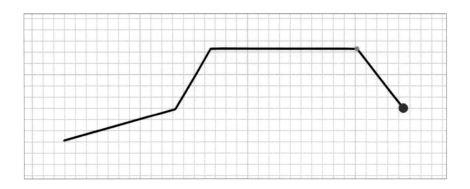

2.2.6. 폴리라인 그리기

우리는 방금 라인 툴과 익스트루드 기능을 사용하여 다수의 서로 연결된 직선을 그어 보았습니다. 블렌더에서는 이런 직선을 폴리라인(Polyline)이라고 합니다.

그런데 그리즈 펜슬은 폴리라인 툴을 마련하여, 익스트루드 기능을 굳이 사용하지 않고도 폴리라인을 쉽게 그릴 수 있게 해 두었습니다.

폴리라인 툴을 조작하는 방법은 매우 쉽습니다.

　1) 일단 마우스 포인터를 원하는 위치로 이동시킨 다음, LMB를 클릭하여 시작점을 정합니다.

　2) LMB를 누른 채, 마우스 포인터를 원하는 방향으로 끌고 갑니다.

　3) 마우스 포인터가 원하는 곳에 도달했다고 여겨지면, LMB를 클릭합니다.

　4) 방금 LMB를 클릭한 곳을 새로운 시작점으로 삼고, 1), 2, 3)의 과정을 반복합니다.

　5) 원하는 폴리라인이 다 그어졌다 여겨지면, <엔터>를 쳐서 확정합니다.

폴리라인 툴을 사용하면, 각이 진 형태의 오브젝트를 상당히 쉽게 그릴 수 있습니다.

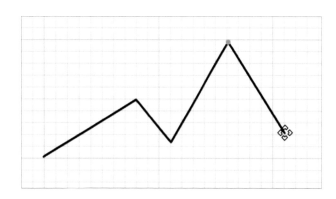

2.2.7. 원호 그리기

툴바를 보면, 폴리라인 툴 바로 아래에 원호(Arc) 툴이 있습니다. 원호 툴을 사용하면, 원호를 쉽게 그릴 수 있습니다.

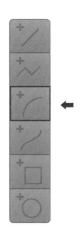

원호 툴을 사용하여 원호 하나를 그려 봅니다. 원호 위에 연한 파란색 점이 보입니다. 이 점을 이동시키면, 원호의 모양을 바꿀 수 있습니다. 아니면, 원호 자체에 마우스 포인터를 갖다 대고 움직여도 됩니다.

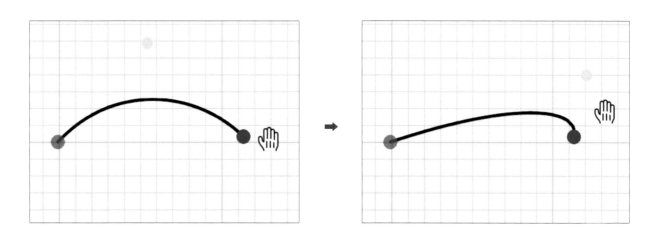

만약 원호의 시작점과 끝점이 똑같은 높이가 되기를 원한다면, <SHIFT 키>를 누른 채, 마우스 포인터를 원하는 곳으로 끌고 가면 됩니다.

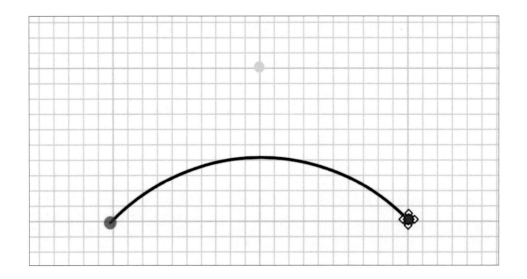

원호의 끝점을 수직 방향으로도, 45도 방향으로도 끌고 갈 수 있습니다.

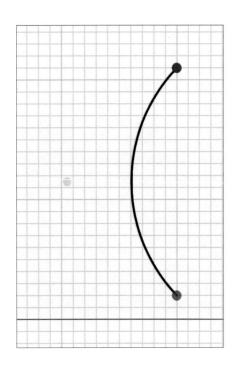
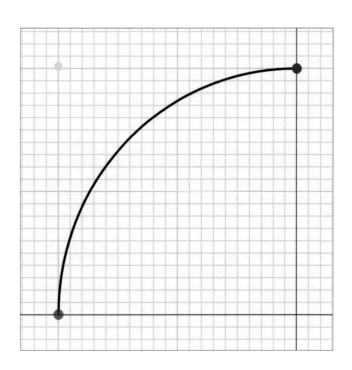

원호 툴의 경우도 라인 툴의 경우처럼 익스트루드 기능을 사용할 수 있습니다. 첫 번째 원호의 끝점에서 익스트루드 단축키 <E>를 눌러, 새로운 원호를 그리면 됩니다.

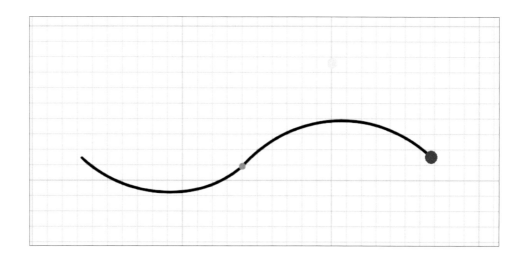

2.2.8. 커브 그리기

라인 툴에 대응하는 것이 폴리라인 툴이라면, 원호 툴에 대응하는 것은 커브(Curve) 툴입니다. 커브 툴을 사용하면, 익스트루드 기능을 사용하지 않고도 구불구불한 곡선을 쉽게 그릴 수 있습니다.

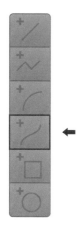

커브 툴을 선택하고, 시작점을 정한 뒤, 마우스 포인터를 원하는 곳으로 끌고 간 다음, LMB에서 손가락을 떼면, 다음과 같은 그림을 얻게 됩니다. 커브가 아니고 직선이어서 혼란을 느낄 수 있습니다. 그러나 연한 파란색 조절점 둘이 보이므로, 안심해도 됩니다. 이 점들을 움직이면, 곡선을 얻을 수 있기 때문입니다.

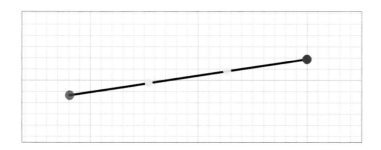

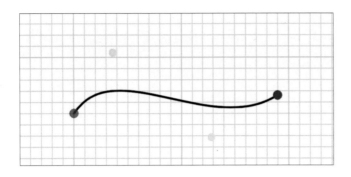

커브 툴의 경우도 원호 툴의 경우처럼 <SHIFT 키>를 사용하여 시작점과 끝점을 수평 내지 수직으로
맞추어 줄 수가 있고, 45도 방향으로 배치해 줄 수도 있습니다.

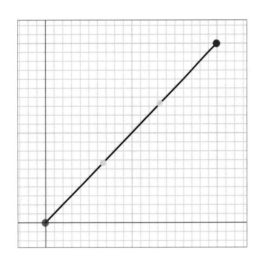

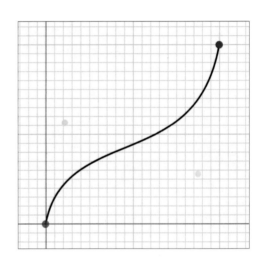

또 커브 툴의 경우도 원호 툴의 경우처럼 익스트루드 기능을 사용할 수 있습니다. 첫 번째 커브의 끝점에서
익스트루드 단축키 <E>를 눌러, 새로운 커브를 그리면 됩니다.

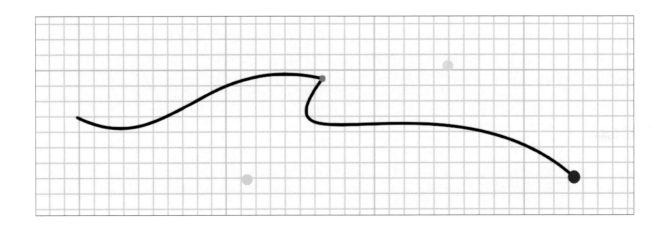

2.2.9. 직사각형 그리기

그리즈 펜슬에는 직사각형의 외곽선을 그리는 데 쓰는 박스(Box) 툴도 있습니다.

이 툴을 사용하면, 직사각형을 쉽게 그릴 수 있습니다.

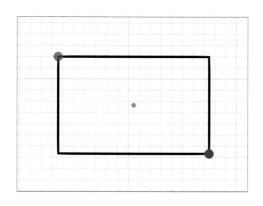

진한 파란색 점을 마우스로 클릭하고 움직이면, 직사각형의 크기와 모양을 조절할 수 있습니다.

<SHIFT 키>를 누른 채 그리면, 정사각형을 얻게 됩니다.

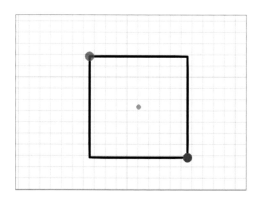

2.2.10. 타원 및 원 그리기

그리즈 펜슬에는 타원 및 원을 그리는 데 쓰는 원형(Circle) 툴도 있습니다.

이 툴을 사용하면, 타원을 쉽게 그릴 수 있습니다.

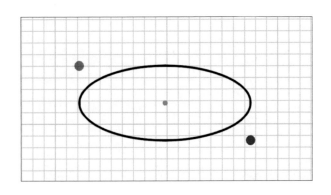

진한 파란색 점을 마우스로 클릭하고 움직이면, 타원의 크기와 모양을 조절할 수 있습니다.

<SHIFT 키>를 누른 채 그리면, 원을 얻게 됩니다.

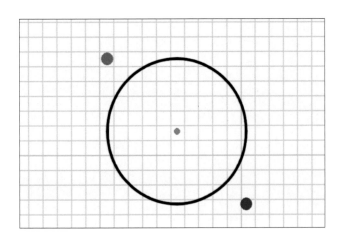

2.3. 선 지우기

우리는 앞에서 선 지우기에 대해 맛보기를 조금 하였습니다. 이제 약간 더 자세하게 살펴보도록 하십시다!

2.3.1. 지우개의 타입

먼저 뷰포트 오버레이(Viewport Overlays) 창을 연 다음, 격자 체크를 해제합니다. 그리고 툴바에서 <지우기> 아이콘을 클릭하면, 다음과 같은 화면을 얻습니다.

화면 왼쪽 상단을 보면, 지우개 타입(Eraser Type)이 디폴트로 Eraser Soft로 되어 있습니다.

화면 오른쪽 속성편집기를 보면, 활성 도구 및 작업 공간을 설정(Active Tool and Workspace Settings)이 선택돼 있고, 그 오른쪽 아래에 Eraser Soft의 아이콘이 제시돼 있습니다.

Eraser Soft는 문자 그대로 '연한 지우개'입니다. 곧, 이걸로 지우면, '연하게' 지워집니다. 다시 말해, 즉각 완전히 지워지지 않고, 여러 차례 문질러야 완전히 지워집니다.

만약 선의 컬러 강도(Color Strength for New Stokes)를 높여 주면, 좀 더 '세게' 지워집니다. 이 강도의 최대치는 1이고, 최저치는 0입니다. 디폴트 값은 0.500으로 정해져 있습니다.

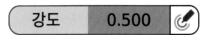

✓ Eraser Soft

지우개 타입을 변경하고 싶으면, Eraser Soft의 아이콘을 누릅니다. 그러면, 다음과 같이 4개의 지우개 타입이 제시됩니다. 속성편집기의 Eraser Soft의 아이콘을 눌러도 됩니다.

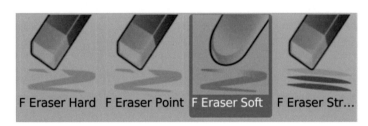

현재는 Eraser Soft가 선택돼 있습니다.

Eraser Hard를 선택하면, 선의 컬러 강도 디폴트 값이 1.000으로 됩니다.

Eraser Point를 선택한 경우, 지우개를 대고 클릭하는 즉시, 지우개를 댄 바로 그 부분이 삭제 됩니다. 이때 지우개 모드(Eraser Mode)가 자동으로 포인트(Point)로 바뀝니다.

디졸브	포인트	스트로크

Eraser Stroke를 선택한 경우, 지우개를 대고 클릭하는 즉시, 지우개를 댄 바로 그 선분이 삭제됩니다. 이때는 지우개 모드가 자동으로 스트로크(Stroke)로 바뀌지 않습니다.

2.3.2. 지우개 모드

지우개 모드(Eraser Mode)에는 디졸브(Dissolve), 포인트(Point), 스트로크(Stroke) – 이 세 가지가 있습니다. 디폴트 모드는 디졸브 모드입니다.

우선, 포인트 모드에서는 – 지우개 타입에서 Eraser Point를 선택한 경우처럼 – 지우개를 대고 클릭하는 즉시, 지우개를 댄 바로 그 부분이 삭제 됩니다.

다음으로, 스트로크 모드에서는 – 지우개 타입에서 Eraser Stroke를 선택한 경우처럼 – 지우개를 댄 바로 그 선분이 삭제 됩니다.

디졸브 모드에서는 주로 Eraser Soft나 Eraser Hard를 사용합니다. 이 모드가 디폴트로 지정된 것은, 그림을 수정하는 작업이 일반적으로 매우 섬세함을 요구하기 때문이라 생각됩니다.

강도 오른쪽을 보면, 스트로크 강도에 영향(Affect Stroke Strength)이라는 멘트가 기록된 박스가 있습니다. 디폴트 값이 100.0%로 정해져 있습니다. 이 값을 낮추면, 지우개로 지워도, 지워지는 강도가 낮아집니다.

여기서 강도는 본디 선의 컬러 강도(Color Strength for New Stokes)입니다. 이 강도가 높을수록 선은 진한 색이 되고, 낮을 수록 옅은 색이 됩니다. 지우개로 지우면, 선의 색이 점차 연해지면서, 결국 선 자체가 사라지게 됩니다.

스트로크 강도에 영향 오른쪽을 보면, 스트로크 두께에 영향(Affect Stroke Thickness)이라는 멘트가 기록된 박스가 있습니다. 디폴트 값이 10.0%로 정해져 있습니다.

이 값을 높이고서 지우개를 사용하면, 스트로크의 두께가 점차 줄어들면서, 결국 선 자체가 없어집니다.

강도를 0.100으로 줄이고서, 스트로크 강도에 영향을 0.0%로 하고, 스트로크 두께에 영향을 100.0%로 한 다음, 연습을 해 보면, 쉽게 개념을 잡을 수 있을 것입니다.

2.4. 선 편집

선을 일단 그린 다음에는, 이를 수정 내지 편집해야 할 필요를 느낄 수 있습니다. 물론, 지우개를 사용할 수 있지만, 한계가 있습니다. 그리즈 펜슬에서 선 편집은 보통 에디트 모드에서 합니다.

2.4.1. 선의 부분 선택

먼저, Draw Mode에서 브러시의 반경을 50px로 올리고, 강도는 1.000으로 변경해 준 다음, 자유곡선을 하나 그리겠습니다.

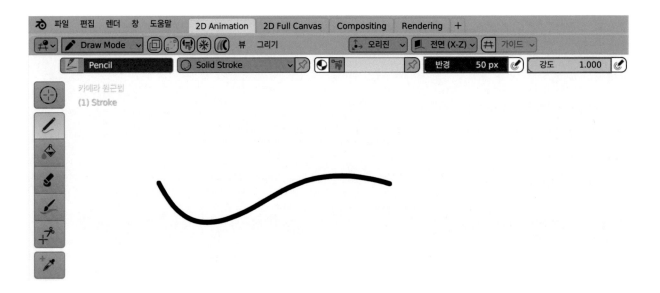

모드를 오브젝트 모드로 바꾸겠습니다.

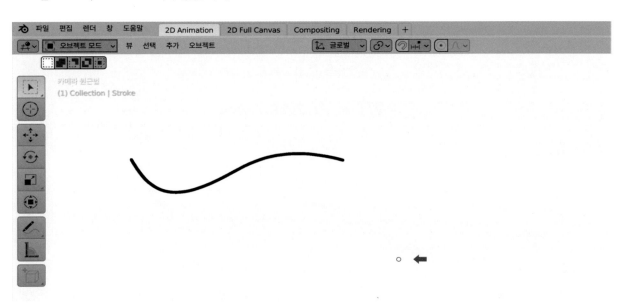

오브젝트 모드에서는 뷰포트 중앙에 작은 원이 생깁니다. 이것은 Draw Mode에서 생성된 객체의 오리진 (Origin)을 가리킵니다.

☞ Draw Mode에서 여러 개의 객체가 생성되더라도, 오리진은 뷰포트 중앙에 위치합니다. 물론, 사용자의 뜻에 따라 오리진의 위치를 변경시킬 수 있습니다.

이제 모드를 에디트 모드로 바꿉니다.

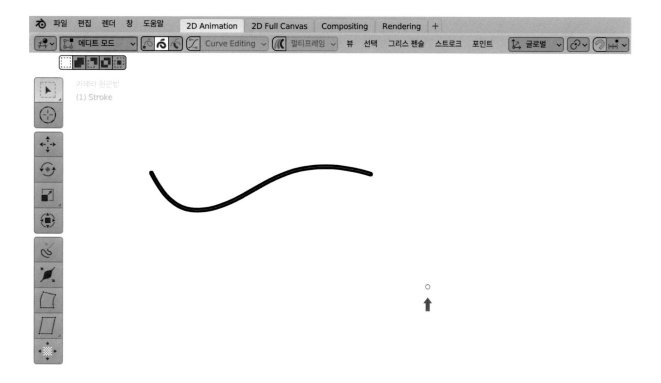

여전히 뷰포트 중앙에는 오리진이 보입니다. 그리고 그려진 자유곡선을 자세히 보면, 그 속에 가는 흰색 줄이 그어져 있습니다.

키보드의 A 키를 누르면, 자유곡선 속의 흰색 줄이 오렌지 색으로 변합니다. 오렌지 색은, 이 자유곡선을 편집하는 것이 가능하다는 뜻입니다.

이제 그리즈 펜슬을 완전히 새로 시작하고, 오브젝트 모드로 가 보겠습니다.

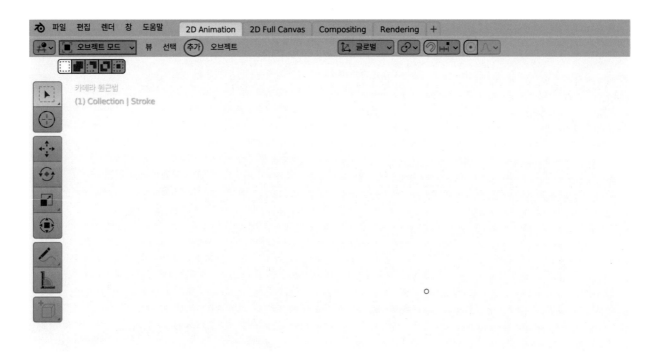

툴 정보 헤더에서 추가(Add)를 선택하면, 다음 페이지에서 보는 것과 같은 긴 드롭다운 메뉴창이 나타 납니다.

여기에서 우리는 그리즈 펜슬을 선택합니다.

다음으로 스트로크(Stroke)를 클릭합니다.

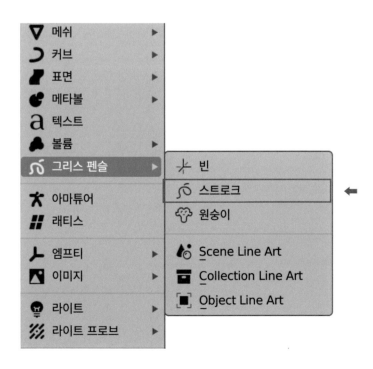

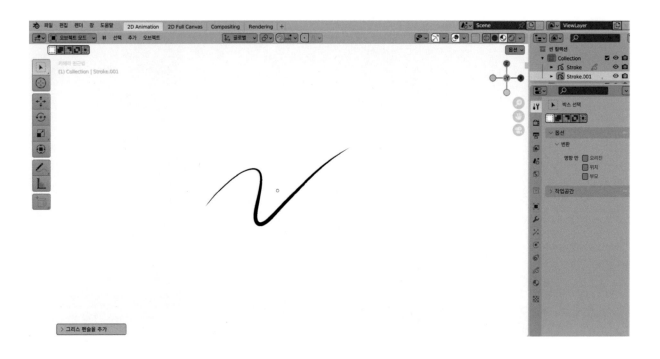

뷰포트 중앙에 스트로크 하나가 생성되었습니다. 이것은 블렌더에서 예시(例示)를 위해 마련해 둔, 심플한 스트로크입니다. 가운데 작은 원은 – 짐작하시는 대로 – 오리진입니다.

모드를 에디트 모드로 전환합니다.

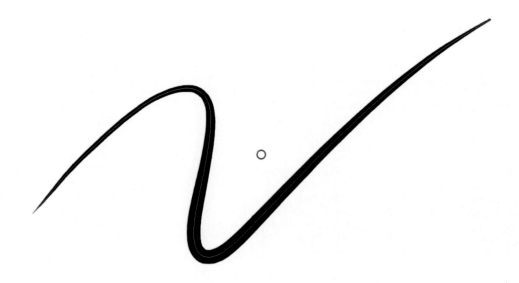

스트로크 속에 가느다란 흰색 줄이 보입니다. 이 줄은 이 스트로크가 에디트 모드임을 나타냅니다.

키보드의 A 키를 누르면, 스트로크 속의 흰색 줄이 오렌지 색으로 변합니다. 이것은 – 주지(周知)하는 대로 – 이 스트로크를 편집하는 것이 가능하다는 뜻입니다.

뷰포트 상의 아무 곳이나 마우스로 클릭하면 (오렌지 색 줄은 제외), 줄의 색은 오렌지 색에서 흰색으로 바뀝니다.

스트로크 속의 흰색 줄을 클릭해도 오렌지 색으로 바뀝니다. 단, 이 경우, 줄의 색을 다시 흰색으로 바뀌게 하려면, 뷰포트 상의 아무 곳이나 마우스로 클릭해서는 안 됩니다. 도리어, 예컨대, 툴바의 이동 키를 누른 다음, 마우스 포인터를 뷰포트 상의 빈 공간으로 옮기고서 클릭을 해야 합니다.

이제 툴 정보 헤더 왼쪽 부분을 봅니다. 여기에서 우리는, 스트로크를 선택하는 세 가지 모드가 있음을 알게 됩니다. 디폴트로 모든 스트로크 포인트를 선택(Select All Stroke Points)이 체크되어 있습니다.

우리는 포인트만 선택을 클릭합니다.

스트로크 속의 점들을 좀 더 잘 보기 위해, 내비게이션 기즈모(Navigation Gizmo)의 줌(Zoom) 단추를 눌러, 화면을 확대시켜 줍니다.

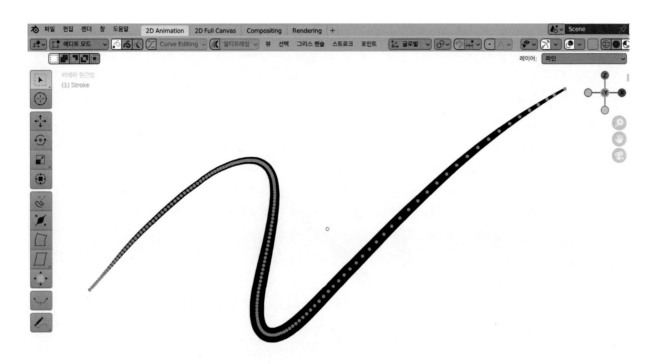

위 스트로크의 오른쪽 끝 부분만 확대해 보겠습니다.

이것을 통해 알 수 있는 대로, 스트로크 속의 오렌지 색 선은 실상 오렌지 색 점의 집합입니다. 다만, 화면을 충분히 줌 아웃(Zoom Out)하게 되면, 오렌지 색 점의 집합이 오렌지 색 선으로 보이게 되는 것입니다.

우리는 여기서 보는 오렌지 색 점을 제어점(Control Points)이라 부릅니다. 이 점들을 조작하여 우리는 스트로크의 모양이나 크기를 변경할 수 있습니다.

만약 마우스 포인터를 이들 제어점 중 하나에 갖다댄 후 클릭하면, 그 점만 오렌지 색 그대로 있고, 나머지 다른 점들은 파란색으로 변합니다.

만약 제어점을 두 개 이상으로 늘리고 싶다면, SHIFT 키를 누른 채, 원하는 점을 마우스로 클릭하면, 그 점의 색깔이 오렌지 색으로 변합니다.

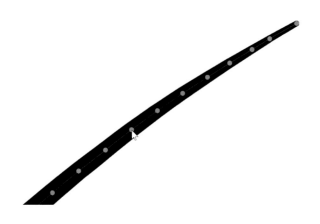

2.4.2. 에디트 모드의 조작 툴

툴바에는 조작 툴(Manipulation Tools) 셋이 있습니다. 곧, 이동(Move), 회전(Rotation), 축척(Scale) 입니다.

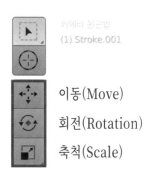

이동(Move)

회전(Rotation)

축척(Scale)

제어점 셋을 선택하고, 이동 툴을 클릭합니다. 그러면, 이동 위젯(Move Widget)이 나타납니다.

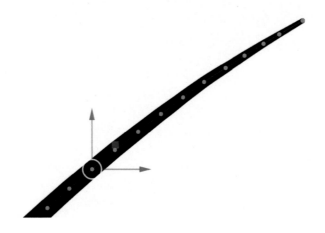

이동 위젯을 이용하여 선택한 제어점을 이동시킵니다.

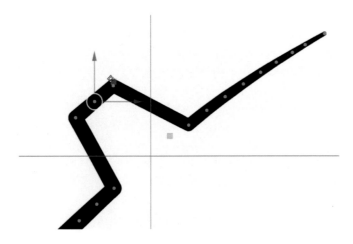

이제는 축척 툴을 클릭하겠습니다. 그러면, 축척 위젯(Scale Widget)이 나타납니다.

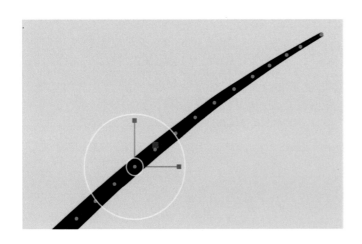

축척 위젯을 이용하여 선택한 곳 (혹은 부분)의 스케일을 조절합니다.

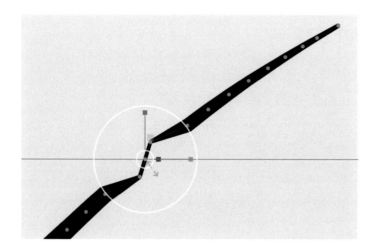

회전 툴을 클릭하면, 회전 위젯(Rotation Widget)이 나타납니다.

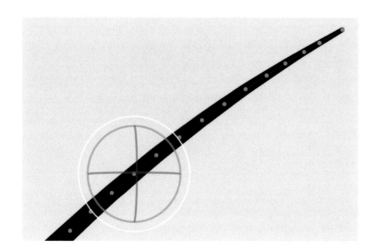

회전 위젯이 나타납니다. 녹색 원에 마우스 포인터를 갖다대고 회전시켜 봅니다.

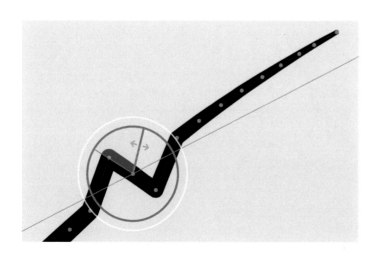

2.4.3. 비례 편집

아래 그림과 같이 어떤 스트로크의 일부 제어점들만 선택합니다.

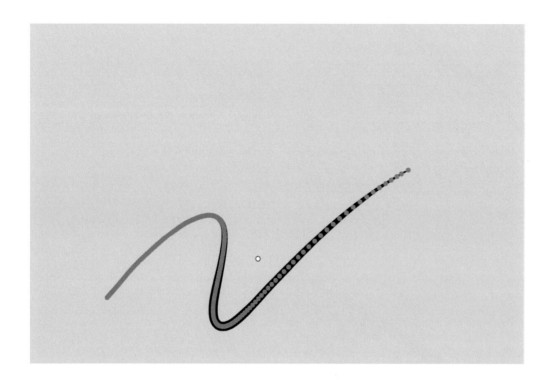

이동 위젯을 이용하여 선택한 제어점들을 이동시킵니다.

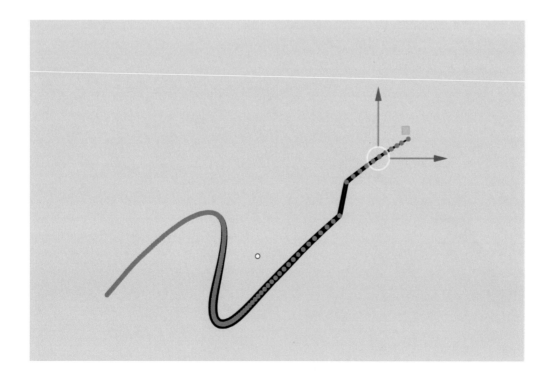

스트로크 중 이동시킨 부분만을 보면, 왼쪽 아랫부분이 각이 져 있습니다. 툴 정보 헤더를 보면, 다음과 같은 여러 버튼이 있습니다. 이들 중 가장 오른쪽의 3개 버튼이 비례 편집(Proportional Editing)과 관련이 있습니다.

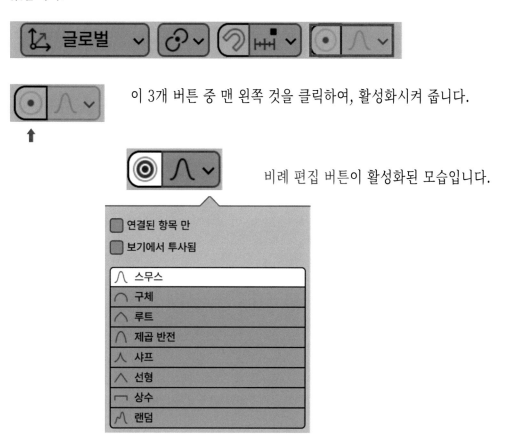

이 3개 버튼 중 맨 왼쪽 것을 클릭하여, 활성화시켜 줍니다.

비례 편집 버튼이 활성화된 모습입니다.

이동 위젯을 이용하여 선택한 제어점들을 이동시킵니다. 이때 제어점들만 이동하지 않고, 검정색 큰 원과 그 부근에 있는 파란색 점들도 스므스하게 이동합니다. 따라서, 각진 곳이 생기지 않습니다.

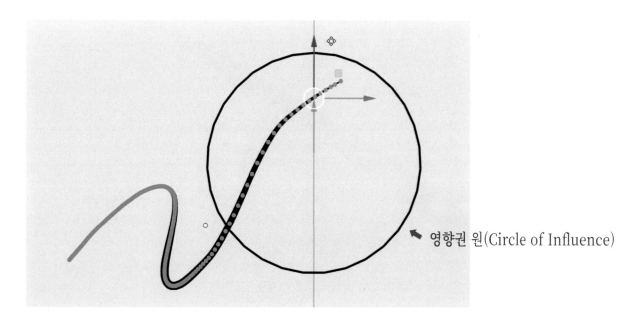

영향권 원(Circle of Influence)

2.4.4. 에디트 모드의 돌출 툴

툴바를 보면, 돌출(Extrude) 툴이 있습니다.

툴 정보 헤더에서 스트로크를 선택하는 세 가지 모드 중 포인트만 선택을 클릭합니다.

이제 스트로크의 어느 한 제어점을 선택하고, 돌출 툴을 클릭하면, 다음과 같은 모습을 보게 됩니다.

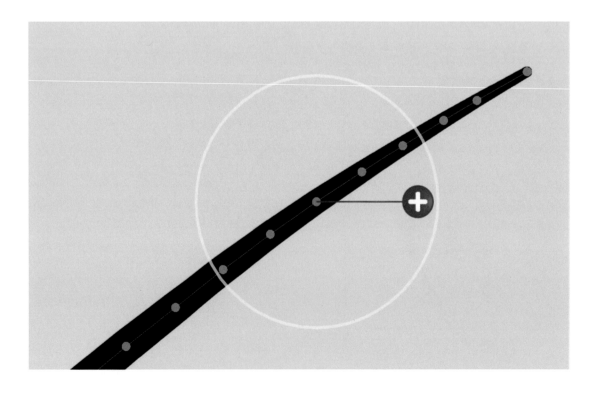

➕ 표 위에 마우스 포인터를 갖다대면, 다음과 같이 됩니다.

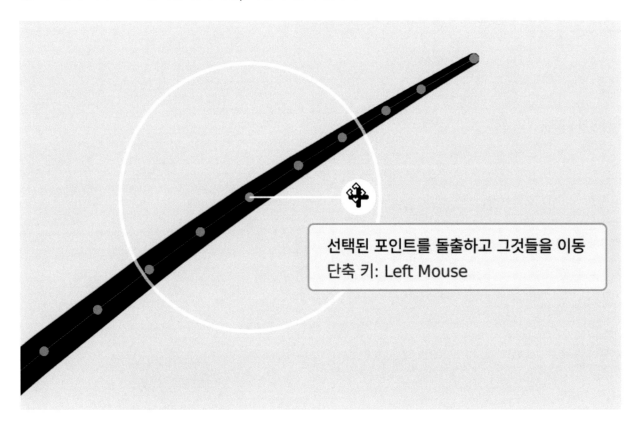

✚ 표를 LMB로 클릭한 채 좌우 어느 쪽으로든 끌면, 오렌지 색 점에서 새로운 선이 돌출됩니다.

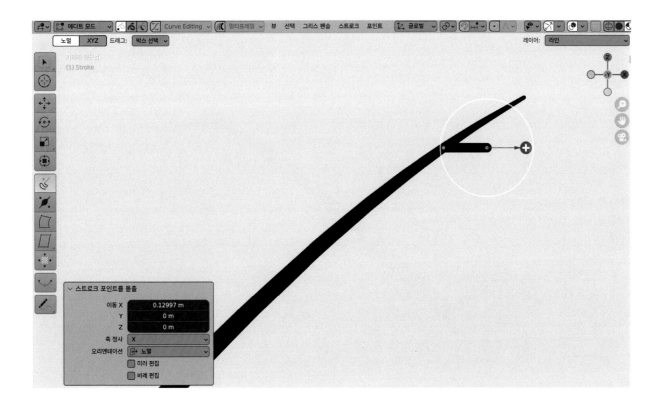

뷰포트의 좌상단을 봅니다. 노멀(Normal)이 체크되어 있습니다.

노멀대신 XYZ를 체크합니다. 뷰포트는 다음과 같이 바뀝니다.

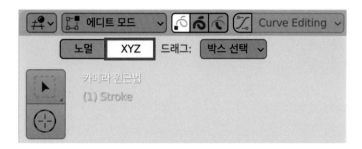

뷰포트는 다음과 같이 바뀝니다.

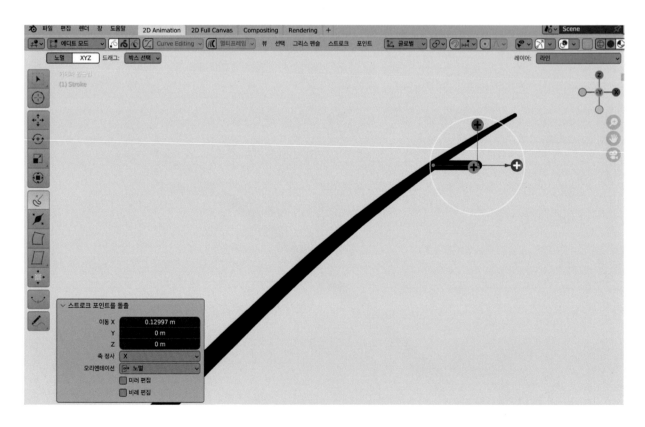

이제 돌출을 X 축이든, Y 축이든, Z 축이든 원하는 축을 기준으로 하여 시킬 수 있습니다. 우리는 Z 축 방향으로 해 보도록 합니다.

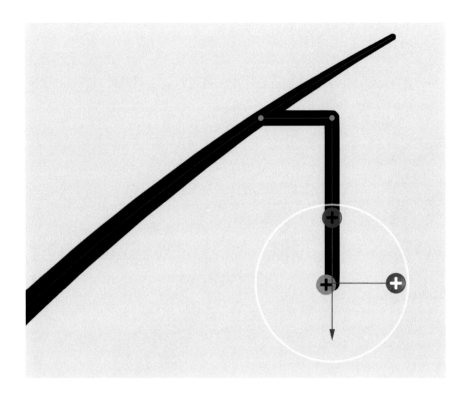

만약 흰색 원을 이용한다면, 돌출을 우리가 원하는 그 어떤 방향으로든 시킬 수 있습니다.

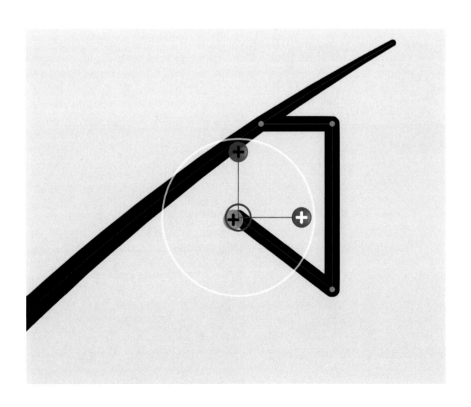

2.5. 텍스처 스트로크

우리는 지금까지 검정색이나 회색, 혹은 빨간색 등 단색 선만을 취급하였습니다. 이제 그저 단색이 아니라 텍스처를 지닌 선을 그려 보도록 하겠습니다.

그리즈 펜슬을 새로 시작하고, 속성편집기로 가서 매트리얼 프로퍼티스 아이콘을 클릭하여, 다음과 같은 창을 엽니다.

디폴트로 솔리드 스트로크(Solid Stroke)가 선택되어 있습니다.

+ 버튼을 눌러, 매트리얼 슬롯(Material Slot)을 하나 추가합니다.

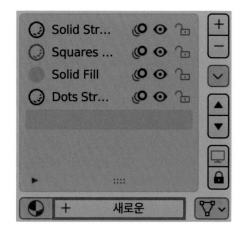

속성편집기에 새로운(New) 매트리얼 슬롯이 추가되었습니다.
단, 아직 이름은 정해지지 않았습니다.

이제 새로운(New) 매트리얼 슬롯을 클릭합니다.

새로 추가된 매트리얼 슬롯의 이름이 '매테리얼'로 지정되었습니다.

우리는 그 이름을 '텍스처'로 변경해 주겠습니다.

스트로크의 스타일(Style) 이름이 '솔리드'로 되어 있습니다. 이것을 '텍스처'로 바꿉니다.

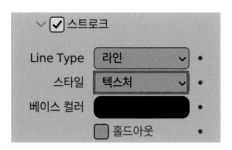

속성편집기를 보면서, 시선을 약간 아래로 내리면, 열기(Open)라는 새로운 입력창이 생긴 것을 알 수 있습니다.

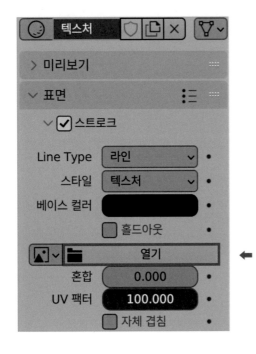

여기서 열기(Open)란, 스트로크에 적용할 텍스처(Texture) 이미지를 저장해 놓은 폴더를 열라는 뜻입니다.

우리는 사전에 스트로크에 적용할 텍스처(Texture) 이미지를 준비해 놓아야 합니다.

이런 이미지를 구하려면, cgtrader와 같은 사이트를 방문하셔야 합니다.

필자는 238SD(L:) 드라이브에 다음과 같은 이미지를 저장해 두었습니다.

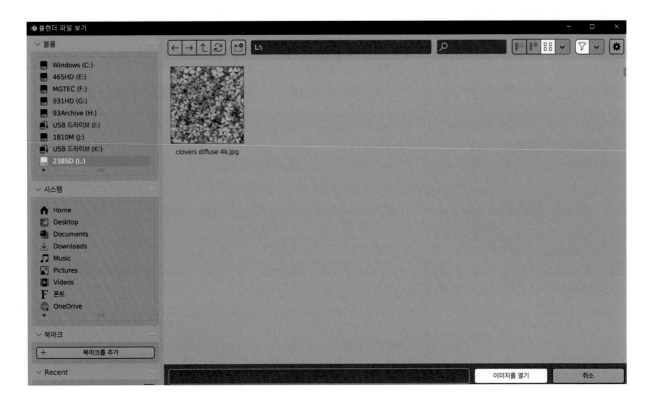

이미지를 선택하고 열도록 합니다.

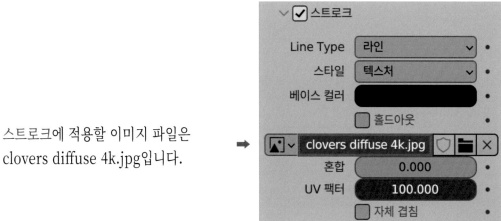

스트로크에 적용할 이미지 파일은
clovers diffuse 4k.jpg입니다.

이제 뷰포트에 직사각형과 원을 하나씩 그려 넣겠습니다. 반경은 200px, 강도는 1.000으로 정합니다.

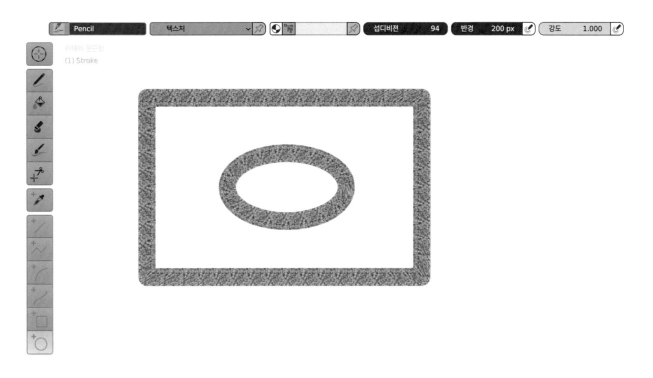

반경을 50px로 줄인 다음 직선을 하나 그어 보겠습니다.

2.6. 틴트 툴

그리즈 펜슬을 새로 시작하고, 뷰포트 왼쪽의 툴바를 보십시다. 툴바 윗부분만 표시하면, 다음과 같습니다.

틴트(Tint)가 무엇일까요? 영어 사전에서 뜻을 찾아보면, 명사로서는 '색조', '염색' 등을 뜻하고, 동사로서는 '색조를 더하다', '염색하다' 등의 뜻을 지닙니다.

툴바에서 커브 툴을 선택합니다. 그리고 스트로크의 반경을 50px로, 강도를 1.000으로 정합니다. 이어서 다음와 같이 커브 하나를 그려 보십시다!

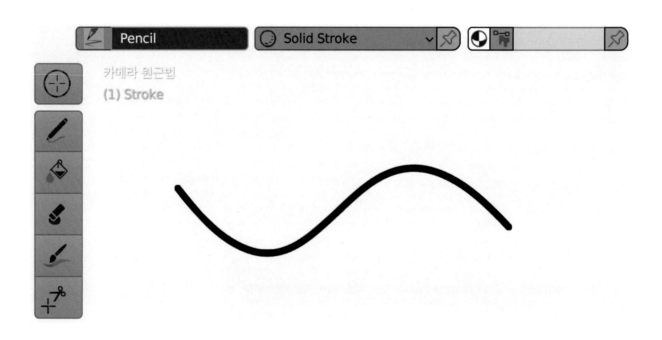

툴바에서 틴트 툴을 선택하면, 화면은 다음과 같이 바뀝니다.

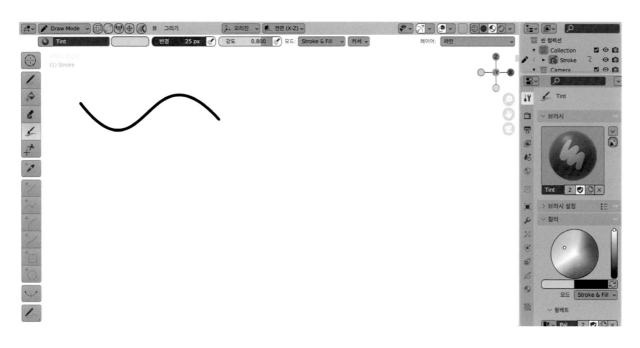

속성편집기를 좀 더 자세히 보겠습니다.

← 브러시 패널(Brush Panel)

← 컬러 피커

틴트는 스트로크의 색깔을 바꾸는 것이므로, 우리는 컬러 피커만을 주목하도록 합시다! 현재는 녹색(헥스 값: 7FFF7F)이 선택된 상태입니다.

뷰포트 헤더의 왼쪽 부분을 보십시다!

틴트의 색은 녹색이고, 틴트 툴의 반경은 25px, 강도는 0.800으로 되어 있습니다. 이 툴로 우리가 아까 그린 스트로크의 왼쪽 부분을 좀 칠하겠습니다.

틴트 툴을 선택하면, 뷰포트 안에서는 마우스 포인터 주위에 원이 생깁니다. 이 원의 색은 틴트의 색과 같습니다. 스트로크의 어떤 부분의 색을 우리가 원하는 색으로 바꾸려면, 마우스 포인터를 가지고 그 부분을 문지릅니다. 강도가 강할수록, 문지른 부분이 더 빨리 원하는 색으로 바뀝니다.

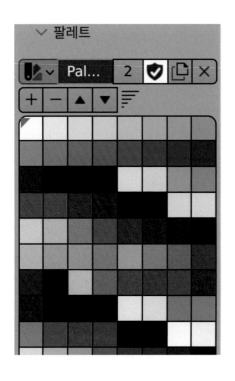

다른 색으로 바꾸려면, 컬러 피커 아래의 컬러 팔레트 (Color Palette)로 가서 원하는 색을 고릅니다.

만약 우리가 생생한 핑크색(헥스 값: FF007F)을 선택하고, 스트로크의 다른 부분을 마우스 포인터로 문지르면, 그 부분이 생생한 핑크색으로 변합니다.

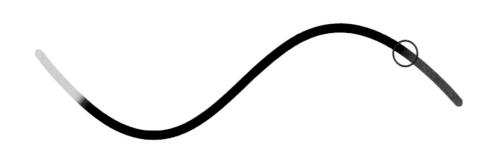

2.7. 커터 툴

그리즈 펜슬을 새로 시작하고, 뷰포트 왼쪽의 툴바를 보면, 커터(Cutter) 툴이 있습니다. 커터 툴은 스트로크의 불필요한 부분을 잘라 주는 일을 합니다.

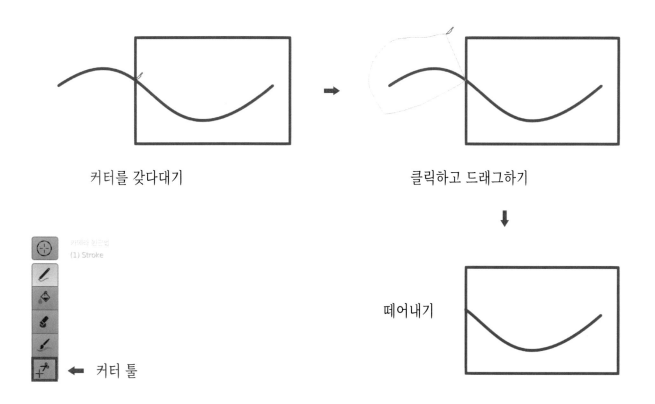

3. 채우기

어떤 대상을 스케치하는 작업을 마쳤다면, 그 대상의 어떤 면(面)을 색(Color)이나 텍스처(Texture)로 채워 넣는 일을 해야 할 것입니다. 우리는 먼저 색 채우기부터 하겠습니다.

3.1. 색 채우기 (매트리얼 컬러 모드)

그리즈 펜슬을 새로 시작하고, 속성편집기에서 매트리얼 탭을 누릅니다.

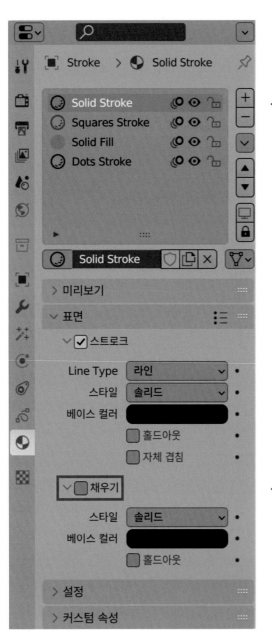

← Solide Stroke가 선택되어 있습니다.

← 채우기(Fill)가 체크되어 있지 않습니다.

우리는 채우기를 선택(= 체크)합니다.

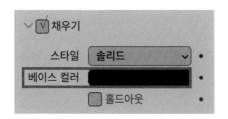

베이스 컬러(Base Color)가 현재 검정색으로 되어 있습니다. 이를 바꾸려면, 검은 띠를 클릭합니다.

컬러 피커(Color Picker)가 나타나면, 컬러 휠(Color Wheel)과 컬러 슬라이더(Color Slider)를 사용하여 원하는 색으로 바꾸어 줍니다.

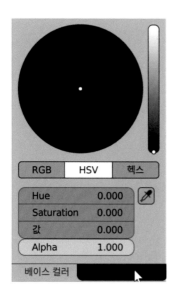

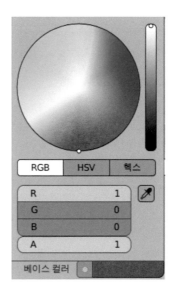

채우기 색을 빨강색으로 바꾸었습니다. 이제 원호를 하나 그려 보겠습니다.

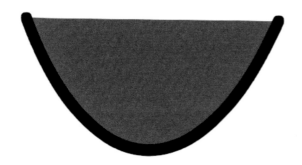

여기에서 보는 대로, 원호의 스트로크 색은 검정색 그대로 있고, 채우기 색은 빨강색으로 되었습니다.

열린 스트로크(Open Stroke) 채우기   닫힌 스트로크(Closed Stroke) 채우기

스트로크에는 열린 스트로크도 있고, 닫힌 스트로크도 있습니다. 우리이 이 두 가지에 대해 다 채우기를 해 줄 수 있습니다.

또 채우기만 하고, 스트로크는 표시해 주고 싶지 않을 때가 있습니다. 이 경우에는 속성편집기에서 스트로크 선택을 해제합니다.

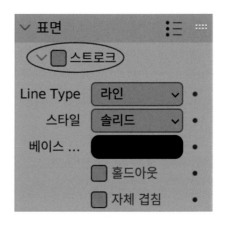

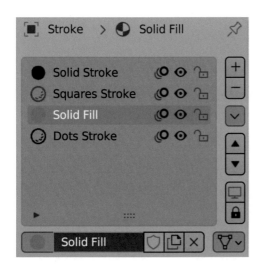

스트로크 타입(Stroke Type)을 Solid Fill로 바꾸어 주어도 채우기만을 할 수가 있습니다.

스트로크 타입 변경은 뷰포트 왼쪽 위에서도 할 수 있습니다.

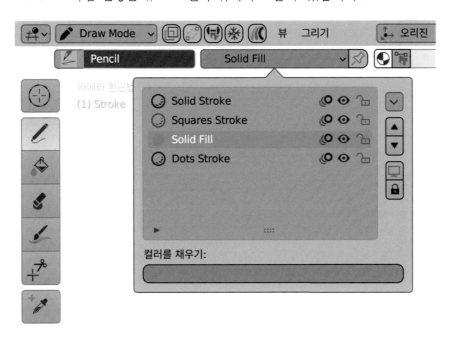

만약 빨간색 원 오른쪽에 노란색 원을 그려 주고 싶다면, 속성편집기로 다시 갑니다. 그리고 매트리얼 탭을 클릭한 다음, 새로운 매트리얼을 추가합니다. 이를 위해 매트리얼 슬롯 우측의 + 버튼을 누릅니다.

매트리얼 슬롯 아래에 생긴 [＋　새로운] 버튼을 클릭합니다. <매테리얼>이라는 새로운 슬롯이 생성됩니다. 이 슬롯의 이름을 <노랑>으로 바꾸어 줍시다!

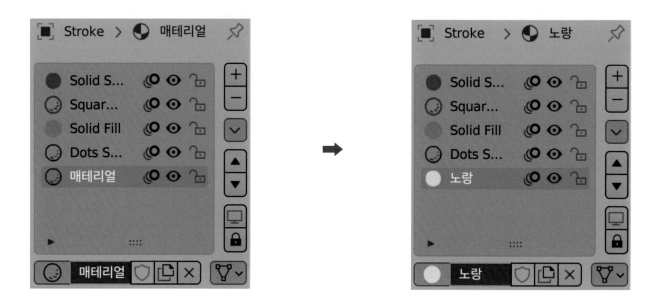

이제 새로 그리는 원은 노란색이 됩니다.

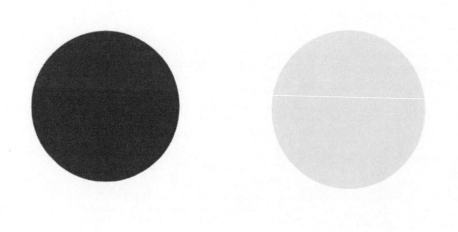

만약 다른 색(예: 파란색)의 원을 추가해 주고 싶다면, 같은 요령으로 작업을 해 주면 됩니다.

3.2. 색 채우기 (버텍스 컬러 모드)

우리는 지금까지 색 채우기를 매트리얼 컬러 모드(Material Color Mode)에서 해 왔습니다. 그러나 이제 버텍스 컬러 모드(Vertex Color Mode)에서도 색 채우기를 할 수 있다는 것을 확인해 보겠습니다.

그러면, 버텍스(Vertex)가 무엇일까요? 영어 명사 vertex는 라틴어에서 차용한 것입니다. 그래서, 라틴어 사전에서 vertex의 뜻을 찾아보면, '소용돌이', '정수리', '꼭대기', '정상' 등의 뜻을 가지고 있습니다.

버텍스(Vertex)는 기하학에서 – 직선이든, 곡선이든 – 두 개 이상의 선이 만나는 점을 가리킵니다. 그래서, 블렌더에서 버텍스는 삼각형이나, 사각형이나, 다각형의 <꼭지점>을 가리킬 때가 많습니다. 하지만, 그리즈 펜슬에서는 보통 <점>을 의미합니다.

그리즈 펜슬에 버텍스 컬러 모드가 있는 것은, 화가들이 그림 그리는 모습을 연상시킵니다. 이는, 화가들이 그림을 그리기 위해 사용하는 도구에는 붓 외에 팔레트(Palette)가 있기 때문입니다.

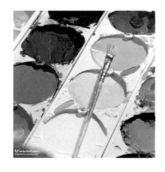

사실, 현실 세계에서 볼 수 있는 색은 무수합니다. 그리고 요즘 컴퓨터가 구현할 수 있는 색의 수는 1000만 가지가 넘을 것입니다. 그럼에도 불구하고, 우리가 종이에 붓으로 그림을 그린다고 할 때, 우리가 실지로 사용할 수 있는 물감 종류는 그리 많지가 않습니다.

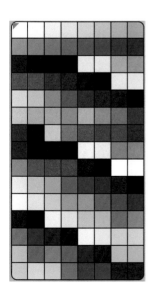

그리즈 펜슬은, 우리가 그림을 그릴 때 자주 사용할 성싶은 물감 종류 120개를 차트 형식으로 미리 준비해 놓았습니다. 그리고 이것을 팔레트(Palette)라 부릅니다.

그리즈 펜슬을 새로 시작하면, 우리는 다음과 같은 화면을 얻게 됩니다.

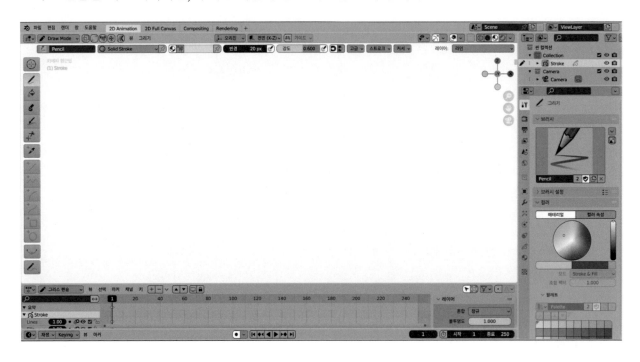

툴 정보 헤더에 녹색 띠가 보이긴 하지만, 이곳을 클릭해도, 뷰포트에 녹색 선을 그을 수 없습니다.

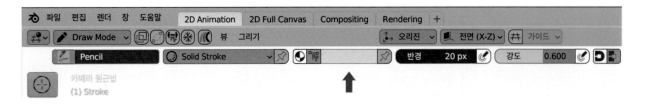

그렇다면, 속성편집기로 가서, 컬러 피커 밑의 녹색 띠를 클릭합니다. 전혀 반응이 없습니다.

이는, 그리즈 펜슬이 디폴트로 매트리얼 컬러 모드를 정해 놓았기 때문입니다.

반응이 없기는, 아래쪽의 팔레트도 마찬가지 입니다.

이렇게 된 것은, 그리즈 펜슬의 디폴트 모드가 매트리얼 컬러 모드로 세팅되어 있기 때문입니다. 버텍스 컬러 모드로 가기 위해 툴 정보 헤더의 녹색 띠 왼쪽을 보십시다!

현재는 매트리얼 아이콘이 선택되어 있습니다.

그 오른쪽에 있는 버텍스 컬러 모드 아이콘을 클릭합니다.

녹색이 약간 더 진해졌습니다. 이제 녹색 연필을 사용할 수 있다는 뜻입니다.

그러면, 뷰포트에 원을 하나 그려 보겠습니다.

원이 희미한 것은, 강도가 0.600으로 설정되어 있기 때문입니다. 그래도, 강도는 그냥 두겠습니다. 대신 반경을 100px로 조정하겠습니다.

방금 그린 원은 지우고, 새로 원을 그리겠습니다.

반경을 늘이니, 원이 좀 더 명확하게 보입니다. 그러나 문제는, 원이 아무것으로도 채워져 있지 않다는 것입니다. 지금 우리는 <채우기>에 대해 공부하고 있는데 말입니다.

이 문제를 해결하기 위해 우리는 속성편집기의 매트리얼 탭으로 가야 합니다. 이는, 그리즈 펜슬의 규칙상 <채우기>를 할 것인지, 말 것인지를 결정하는 일은 매트리얼 탭에서만 할 수 있기 때문입니다.

매트리얼 탭을 클릭한 다음, 표면(Surface) 탭 아래를 봅시다! 스트로크(Stroke)만 체크되어 있고, 채우기(Fill)가 체크되어 있지 않습니다. 채우기에도 체크를 해 줍니다.

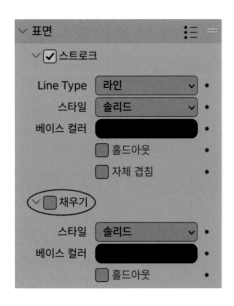 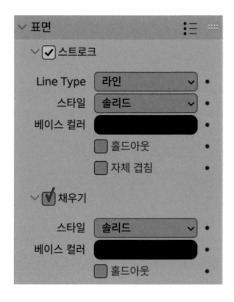

비어 있던 원의 속이 바로 채워집니다.

속성편집기에서 활성 도구및 작업공간을 설정(Active Tool and Workspace Settings) 탭을 클릭합니다.

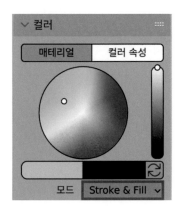

컬러 속성(Color Attribute)이 선택돼 있습니다.

색은 디폴트로 녹색(HEX 값: 7FFF7F)으로 설정돼 있습니다. 우리가 원하면, 바꿀 수 있습니다.

모드(Mode)는 <Stroke & Fill>로 되어 있습니다.

버텍스 컬러를 선택할 때, 우리에게 제시되는 옵션은 다음 세 가지입니다.

　　1) 스트로크, 2) 채우기, 3) Stroke & Fill

현재는 Stroke & Fill이 디폴트로 선택돼 있습니다.

스트로크　　　　　　채우기　　　　　　Stroke & Fill

그러면, 여기서 팔레트에 관한 이야기를 조금 하도록 하겠습니다. 그전에 속성편집기의 폭을 넓혀, 팔레트를 옆으로 길게 만들겠습니다.

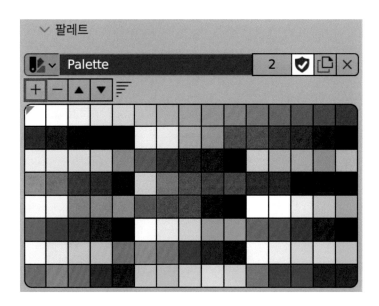

아까 말한 대로 디폴트로 제공된 물감의 수는 120개입니다. 분명, 미술가들 내지는 전문 디자이너들한테는 턱없이 부족할 수 있습니다. 그러나 그밖의 사용자들한테는 충분할 것 같습니다.

그래도, 필요한 물감 혹은 컬러를 추가하는 방법을 알아두는 것은 필요할 것으로 여겨집니다.

 　컬러를 추가하려면, + 키를 사용하되, 먼저 컬러 피커에서 원하는 컬러를 고른 다음에 그렇게 합니다.

또 – 키를 사용하여 불필요한 컬러를 팔레트에서 제거할 수 있습니다. 또 ▲ 키와 ▼ 키를 사용하여, 특정한 컬러의 팔레트 상에서의 위치를 변경해 줄 수 있습니다.

그리고 결국, 사용자 취향이나 필요에 맞는 컬러만으로 구성된 새로운 팔레트를 만들 수도 있습니다. 이 방법은, 독자 여러분이 스스로 터득하시기 바랍니다.

3.3. 텍스처 채우기

우리는 어떤 면을 색으로 채우는 대신, 텍스처로 채울 수도 있습니다. 이를 위해 우리는 속성편집기의 매트리얼 탭으로 가서, 표면 탭 아래의 채우기를 체크합니다.

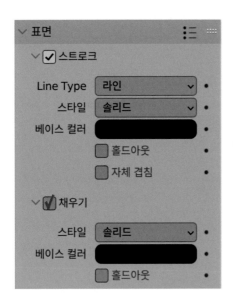

채우기의 스타일에는 다음 세 가지가 있습니다. 디폴트로 솔리드(Solid)가 선택되어 있습니다. 하지만, 우리는 텍스처를 선택합니다.

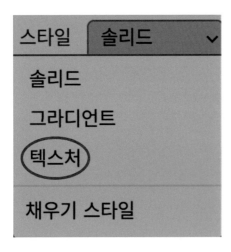

텍스처를 선택하니, 열기(Open) 창이 나타납니다.

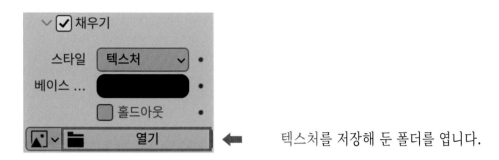

텍스처를 저장해 둔 폴더를 엽니다.

필자는 다음과 같은 텍스처를 사용하도록 하겠습니다.

Draw Mode에서 원형(Circle) 툴을 사용하면, 다음과 같은 결과물을 얻을 수 있습니다.

4. 레이어와 캔버스

4.1. 레이어

그리즈 펜슬의 메리트 중 하나는 포토샵이나 일러스트레이터처럼 레이어(Layer)를 사용할 수 있다는 점일 것입니다. 레이어 사용을 통해 우리는 그림을 훨씬 더 효율적으로 그릴 수 있고, 수정 작업도 용이하게 할 수 있습니다.

4.1.1. 레이어의 이름 변경

먼저 아웃라이너(Outliner)로 가 봅시다!

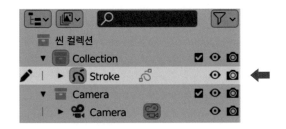

<Stroke>라는 이름의 오브젝트가 선택되어 있습니다. 이것은 언제든지 연필로 아무 선이든 그릴 준비가 되어 있다는 뜻입니다.

▶ 아이콘을 클릭합니다. 이어서 🔗 아이콘 앞의 ▶ 아이콘도 클릭합니다. 아웃라이너의 모습은 이렇게 됩니다.

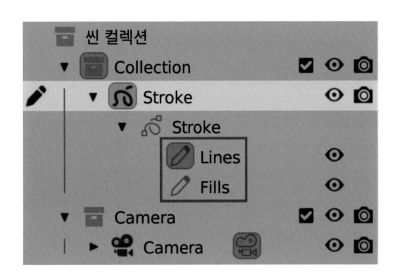

<Lines>와 <Fills>는 레이어 이름 입니다.

레이어 이름을 바꾸기 위해서는 레이어 이름이 기입된 곳을 <더블 클릭>합니다.

새로운 이름을 기입할 준비가 되었습니다.

<Lines>는 <레이어1>으로, <Fills>는 <레이어2>로 바꾸어 봅시다!

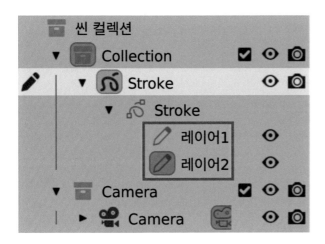

만약 우리가 <레이어1>을 선택한 다음, <레이어2>의 눈 아이콘을 끈다면, <레이어1>에서 편안하게 그리기 작업을 할 수가 있습니다.

설사 <레이어2>에 무슨 그림을 그려 놓았다 해도, <레이어2>에 그린 것은 보이지 않습니다.

이제 속성편집기로 가서, 오브젝트 데이터 프로퍼티스(Object Data Properties) 탭을 클릭합니다.

여기에도 레이어 창이 보입니다.

그리고 아까 우리가 작업했던 대로, <레이어2>의
눈 아이콘은 꺼져 있습니다.

여기서도 이름을 더블 클릭하여 레이어의 이름을 바꿀 수 있습니다.

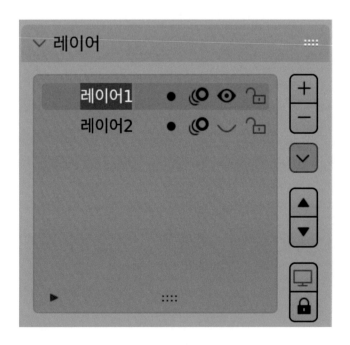

4.1.2. 레이어의 추가 및 삭제

레이어를 추가(Add)하거나 삭제(Remove)하려면, + 버튼이나, – 버튼을 사용하면 됩니다.

4.2. 배경 이미지

레이어를 사용하게 되었으면, 배경 이미지(Background Image)도 사용할 수 있습니다. 배경 이미지는 그리즈 펜슬에서 만들 수도 있고, 아니면, 외부에서 가져올 수도 있습니다.

물론, 필자는 배경 이미지를 그리즈 펜슬에서 만들기보다는 외부에서 가져오는 것을 추천 드리고 싶습니다. 이는, 그리즈 펜슬로 그림 그리는 것이 가능하다고는 하나, 그리즈 펜슬이 <그림 그리기>에 최적의 툴은 아닌 성 싶기 때문입니다. 필자의 경험으로는, 그리즈 펜슬은 <그림 그리기>보다는 <애니메이션>에 더 특화된 프로그램인 것처럼 느껴집니다.

그럼에도 불구하고, 그리즈 펜슬로 그림 그리는 법을 익혀 두는 것은 필요할 것 같습니다. 이는, 그리즈 펜슬로 <애니메이션>을 제작하려면, 어떤 오브젝트가 평면에 어떻게 표현되는지를 알아야 할 것 같기 때문입니다. 사실, <애니메이션>은 여러 개의 정지 화면을 사용하여 만들어집니다.

여하간, 그리즈 펜슬로 배경 이미지를 만드는 가장 일반적인 방법은 어떤 레이어에 스케치를 하는 것입니다. 마치 종이에 그림을 그릴 때, 물감으로 채색을 하기 전에 스케치를 하는 것처럼 말입니다.

☞ 스케치에 사용되는 레이어에서는 보통 Solide Stroke라는 스트로크 타입이 사용됩니다.

외부에서 가져오는 이미지는 사진일 수도 있고, 그림일 수도 있습니다. 가져오기 전에 이미지를 미리 수정해야 한다면, 포토샵이나 일러스트레이터 등의 프로그램을 사용하여 수정합니다.

그리고 이미지를 가져오기 전에 환경 설정(Preferences)에서 미리 Import Images as Planes라는 <애드온>을 활성화시켜 두는 것이 좋습니다. 이 <애드온>은 블렌더에 내장돼 있습니다.

오브젝트 모드로 바꾸고, 추가(Add)를 클릭합니다.

다음과 같은 긴 드롭다운 메뉴창이 나타납니다.

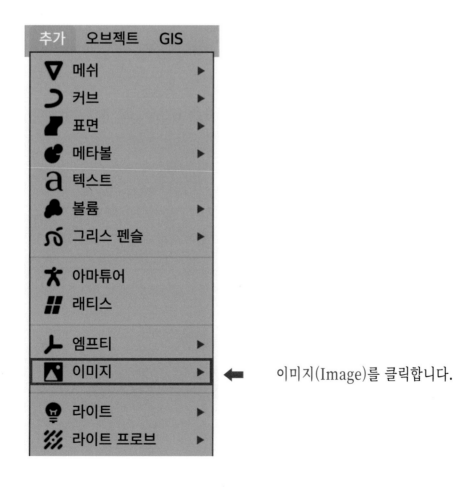

이미지(Image)를 클릭합니다.

여기서 보는 대로, 이미지 추가 옵션에는 세 가지가 있습니다.

1) 참조

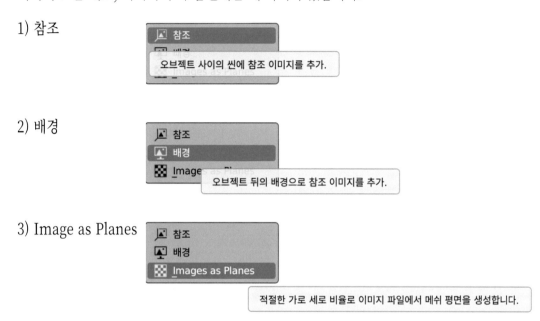

2) 배경

3) Image as Planes

어느 옵션을 선택해도 큰 차이는 없어 보입니다. 필자는 Images as Planes를 선택하겠습니다.
그리고 이미지가 보관된 폴더에서 다음과 같은 이미지를 가져오겠습니다.

4.3. 캔버스

4.3.1. 캔버스란?

그리즈 펜슬을 새로 시작하고, 바로 내비게이션 기즈모의 줌(Zoom) 단추를 사용하면, 화면을 다음과 같이 만들 수 있습니다.

화면 중앙에 놓인 흰색 사각형이 캔버스(Canvas)입니다. 그러니까, 우리는 줌 단추를 사용하여, 캔버스의 크기를 조절할 수 있습니다. 그리즈 펜슬을 새로 시작했을 때는, 캔버스의 디폴트 크기가 화면을 다 채우고도 남았습니다.

4.3.2. 캔버스의 이름 변경

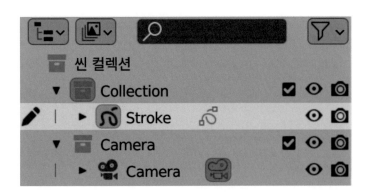

아웃라이너의 연필 아이콘이 있는 띠를 보면, <Stroke>라는 이름이 기입돼 있습니다. 이것이 바로 캔버스의 디폴트 이름입니다.

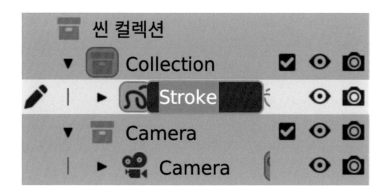

우리는 이곳을 마우스로 더블 클릭하여 이름을 바꾸어 줄 수가 있습니다. 우리는 <캔버스>라고 바꾸겠습니다.

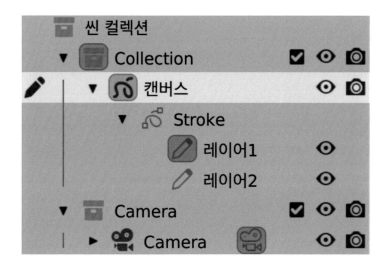

4.3.3. 캔버스의 추가

그리즈 펜슬에서는 여러 개의 캔버스를 만들어 놓고, 이들 캔버스를 동시에 사용할 수 있습니다. 이를 위해 우리는 새로운 캔버스를 추가할 수 있습니다.

기존의 캔버스 이름을 <캔버스1>이라고 변경해 주겠습니다. <캔버스1>에 RMB를 갖다대고 클릭하면, 다음 페이지 위에서 보는 것과 같은 창이 뜹니다.

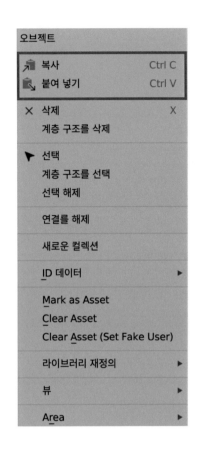

이 창을 통해 우리는 캔버스를 추가하거나, 삭제할 수 있습니다.

우리는 추가할 것이므로, 복사를 한 다음, 붙여 넣기를 하겠습니다.

새로 생긴 캔버스의 이름은 <캔버스2>라고 바꾸어 주겠습니다.

4.3.4. 캔버스에 격자 보이게 하기

그리즈 펜슬의 디폴트 화면에는 격자, 곧, 그리드(Grid)가 보이지 않습니다. 그러나 만약 뷰포트에 격자가 보인다면, 좀 더 정밀한 작업이 용이할 것입니다. 방법이 없지 않습니다.

첫 번째 방법은 뷰포트를 블렌더의 3D 뷰포트처럼 만드는 것입니다. 어떻게 해야 할까요?

우선, 툴 정보 헤더 우측 부분의 <오버레이> 버튼을 LMB로 누릅니다.

그러면, 긴 드롭다운 메뉴가 뜨는데, 그 중 윗부분만 표시하겠습니다.

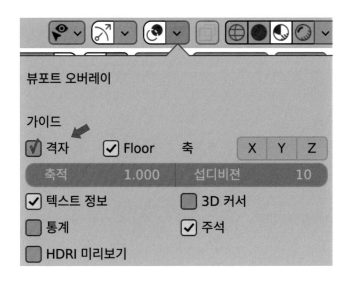

격자에 체크합니다.

이제 내비게이션 기즈모의 <카메라> 아이콘을 클릭합니다.

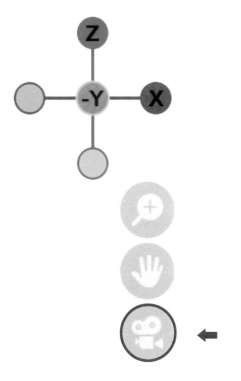

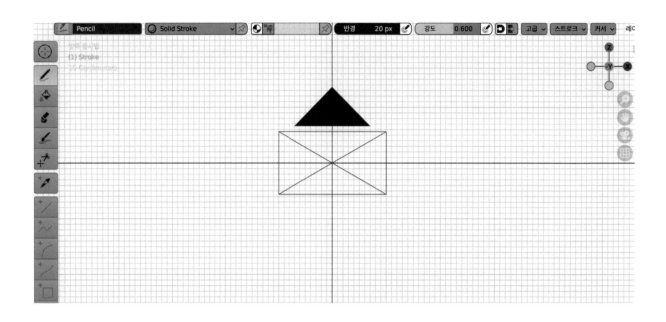

드디어 뷰포트에 격자가 표시되었습니다. 그러나 문제가 있습니다. 뷰포트 중앙에 커다란 카메라 아이콘이 자리잡고 있기 때문입니다. 아웃라이너로 가서, 카메라의 눈 아이콘을 끄도록 합니다.

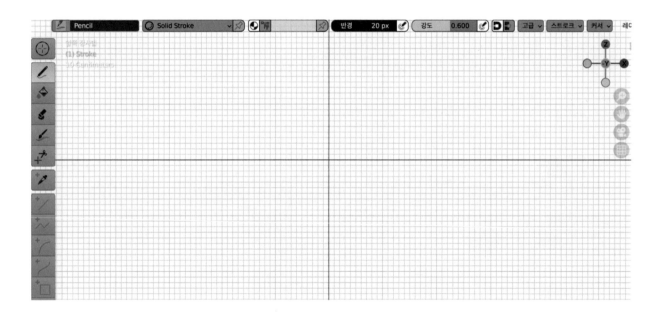

두 번째 방법은 아웃라이너에서 카메라의 눈 아이콘을 끄지 않아도 되는 방법입니다. 또 그리드의 모양도 사용자 취향과 필요에 따라 바꿀 수 있게 해 줍니다.

툴 정보 헤더 우측 부분의 <오버레이> 버튼을 LMB로 누르고, 긴 드롭다운 메뉴가 뜨면, 격자에 체크하는 것까지는 첫 번째 방법과 동일합니다.

다음에 할 일은 긴 드롭다운 메뉴의 아랫부분으로 가는 것입니다.

Draw Grease Pencil과 관련된 메뉴
중에 캔버스가 있습니다.

체크가 되어 있지 않았으므로, 체크를
해 줍니다.

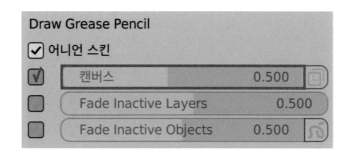

0.500이라는 숫자는 격자의 강도, 곧, 진하기를 의미합니다. 수치가 높을수록, 격자가 진하게 됩니다.
격자는 약간 흐린 것이 좋으므로, 바꾸지 않고 그냥 두겠습니다.

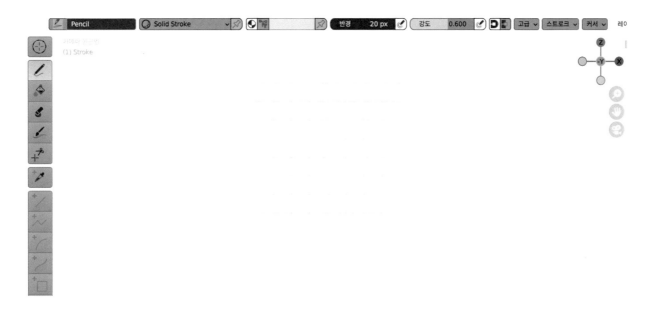

격자가 뷰포트 전체에 그려지지는 않았습니다. 뷰포트 전체에 격자가 그려지게 하기 위해서는, 내비게
이션 기즈모의 <줌> 단추를 사용하면 됩니다.

격자의 간격이 너무 넓은가요? 간격을 좁게 할 수 있습니다. 색깔도 바꿀 수 있습니다. 단, 이를 위해선 속성 편집기의 오브젝트 데이터 프로퍼티스(Object Data Properties) 탭으로 가야 합니다. 그리고 뷰포트 표시(Viewport Display)라는 메뉴창을 열어야 합니다.

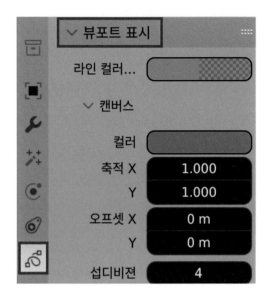

간격을 좁게 하려면 섭디비젼(Subdivision)의 값을 높여 줍니다. 이 값을 만약 50으로 높이면, 뷰포트는 이렇게 됩니다.

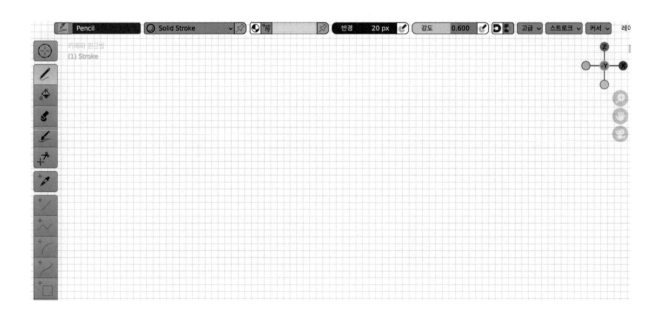

격자의 가로, 세로 비율을 조절함으로써, 격자의 모양을 바꿀 수도 있습니다. 이를 위해서는 축척(Scale)의 X, Y 값을 바꾸어 주면 됩니다. X 값을 2.000으로 높여 주고, Y 값은 그대로 두도록 해 봅시다!

뷰포트의 모양은 다음과 같이 바뀌게 됩니다.

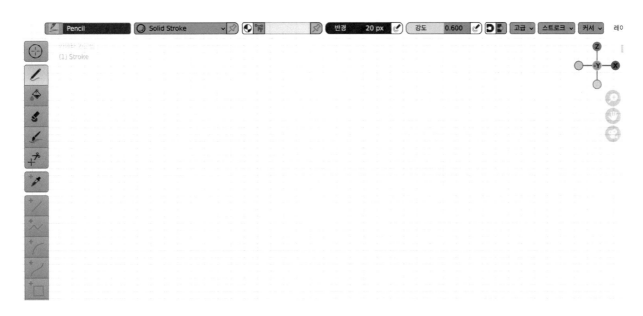

격자의 색깔도 바꿀 수 있습니다. 격자의 색깔을 빨간색으로 바꾼다고 가정합시다.

뷰포트는 다음과 같이 됩니다.

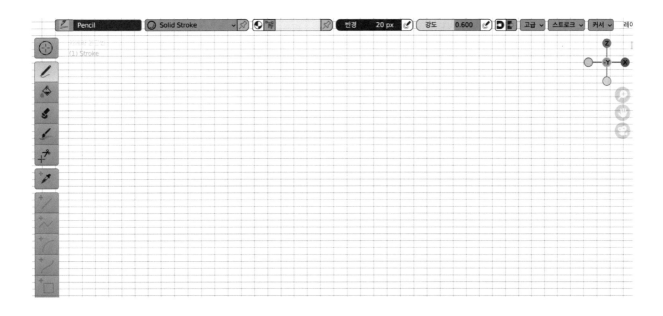

5. 모디파이어

5.1. 모디파이어란?

그리즈 펜슬에서 모디파이어(Modifier)는 '수정자'(修正子)로 번역됩니다. '어떤 객체를 수정하는 도구'라는 뜻입니다. 그러나 여기서 '수정'이라는 말을 '바로잡아 고침'이라는 사전적 정의로만 이해해서는 안 될 것입니다. 왜냐하면, 고침이란, 일종의 변경이고, 변경을 우리는 보통 변형, 곧, 모양 바꾸기로 생각하기 쉬운데, 그리즈 펜슬에서 모디파이어는 단순히 변형 작업만을 수행하는 것이 아니고, 생성 작업도 수행하기 때문입니다.

그래서 필자는 최근 챗GPT에게 이렇게 물어 보았습니다.

> 블렌더 그리즈 펜슬에서 모디파이어(Modifier)를 한 문장으로 정의 내리면 어떻게 될까요?

챗GPT는 이렇게 대답했습니다.

> 블렌더 그리스 펜슬에서 모디파이어(Modifier)는 객체나 메시의 속성을 조작하거나 변형시키는 기능을 수행하는 도구입니다. 이를 통해 객체의 형태, 구조, 텍스처 등을 자동으로 수정하거나 적용할 수 있습니다.

여기서 챗GPT는 '변형'이나, '수정'이라는 단어만 사용하지 않고, '조작'이나, '적용'이라는 단어도 사용하였습니다. 그러니까 챗GPT도, 모디파이어가 그저 수정 작업만을 돕는 도구가 아니라, 그외의 작업도 돕는다는 사실을 알고 있다고 생각할 수 있습니다.

컴퓨터로 그래픽 작업을 하시는 분들은 다 느끼셨겠지만, 컴퓨터가 아무리 편리한 도구라 해도, 그래픽 작업은 우리에게 시간과 노력을 많이 요구합니다. 우리가 직관적으로 느끼는 것과, 그것을 컴퓨터 화면에 표현하는 것은 엄청 다릅니다. 다른 사람의 작품을 눈으로 보고 판단하는 것은 쉽지만, 내가 어떤 작품을 만드는 것은 어렵거나, 힘이 듭니다.

AI에게 시킨다? 잘 아시는 대로, 부리는 자는 부림을 받는 자를 제어할 수 있는 능력을 지녀야 합니다. 그렇지 않으면, 주인이 종의 하수인이 되는 희극 아닌 비극을 맞이할 수 있습니다.

블렌더의 도움말을 보겠습니다.

> Grease Pencil has their own set of modifiers. Modifiers are automatic operations that affect an object in a non-destructive way. With modifiers, you can perform many effects automatically that would otherwise be too tedious to do manually and without affecting the base geometry of your object.

이것을 구글 번역기에 돌려 보겠습니다.

> 그리스 연필에는 고유한 수정자 세트가 있습니다. 수정자는 비파괴 방식으로 오브젝트에 영향을 주는 자동 작업입니다. 수정자를 사용하면 오브젝트의 기본 형상에 영향을 주지 않고 수동으로 수행하기에는 너무 지루한 많은 효과를 자동으로 수행할 수 있습니다.

100% 만족스러운 번역은 아닙니다. 그러나 도움이 되긴 합니다.

여기에서 가장 눈에 띄는 단어는 비파괴(non-destructive)라는 단어입니다. '비파괴'가 무엇일까요? 이것은 원본을 '보존한다' 혹은 '손상시키지 않는다'는 뜻입니다.

우리는 어떤 객체를 복제하거나 수정할 때, 그 원본을 없애지 않고 보존할 필요를 느끼는 경우가 많습니다. 물론, 원본을 파기할 수도 있지만 말입니다.

그리즈 펜슬의 모디파이어는 원본을 보존합니다. 다만, 필요에 따라 우리는 원본을 뷰포트에 나타나게도 하고, 나타나지 않게도 합니다. 표현에는 사용자의 뜻이 중요합니다. 그러나, 그리즈 펜슬의 모디파이어는 원본을 <파괴>하지 않고, 남겨 둡니다. 그래서 언제든 재활용할 수 있게 합니다.

속성편집기의 모디파이어 프로퍼티스(Modifier Properties) 단추를 클릭합니다.

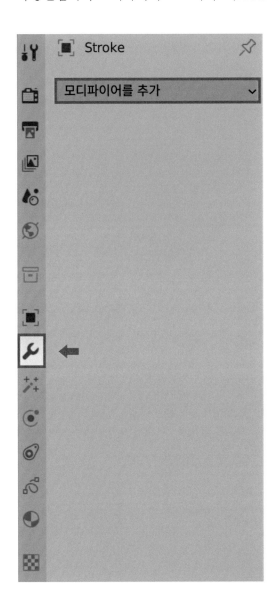

그리고 모디파이어를 추가(Add Modifier)라는 멘트가 적힌 곳을 클릭합니다.

수정	생성	변형	컬러
텍스처 맵핑	배열	아마튜어	색조/채도
타임 오프셋	빌드	후크	불투명도
Vertex Weight Angle	Dot Dash	래티스	틴트
버텍스 웨이트 근접	엔벨로프	노이즈	
	길이	오프셋	
	Line Art	수축 감싸기	
	미러	스무스	
	여러 스트로크	두께	
	윤곽선		
	단순화		
	섭디비젼		

여기에서 볼 수 있는 것처럼, 모디파이어의 종류에는 4가지가 있습니다.

> 1) 수정(Modify) 모디파이어
> 2) 생성(Generate) 모디파이어
> 3) 변형(Deform) 모디파이어
> 4) 컬러(Color) 모디파이어

이 중에서 수정 모디파이어는 그냥 넘어가도록 하겠습니다. 여기에 속한 모디파이어들은 블렌더 고수들 내지는 고수들에 준하는 실력을 지닌 중수들에게 맡기는 것이 좋을 것 같기 때문입니다.

그밖의 경우에도 잘 사용하지 않는 것이나, 애니메이션과 관련된 것은 생략하겠습니다.

5.2. 생성 모디파이어

5.2.1. 배열 모디파이어

배열(Array) 모디파이어는 어떤 객체를 복제하되, 하나 이상의 복제본을 만들어, 사용자가 원하는 곳에 일정한 규칙에 따라 배치시켜 줍니다. 이때 복제본의 간격이, 사용자가 미리 정해 놓은 방식에 따라 조절됩니다. 이 도구는 다수의 복제본을 만들어 규칙적으로 배치할 때, 또 반복적인 패턴을 가진 객체를 만들 때 매우 유용합니다.

뷰포트에 다음과 같이 파란색 별을 하나 그려 넣었다고 합시다!

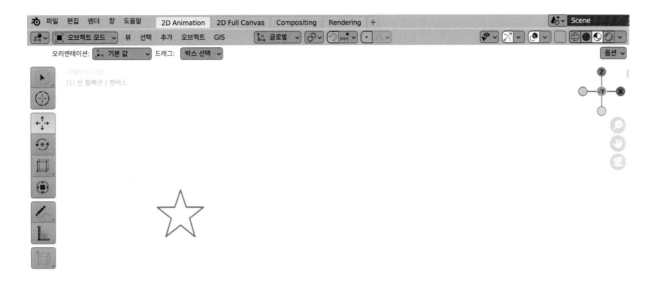

오브젝트 모드에서 배열 모디파이어를 추가합니다.

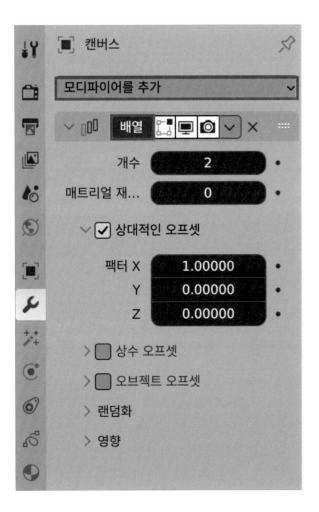

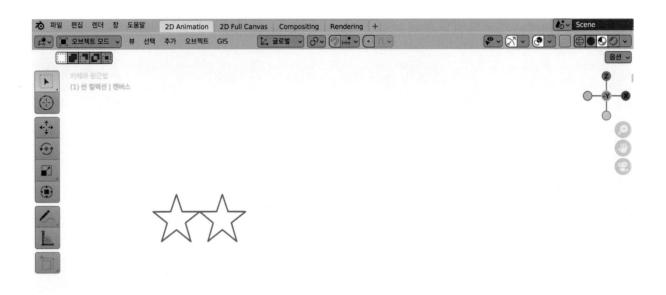

원본 별과 똑같이 생긴 복제본 별이 하나 생성되어 원본 별 바로 옆에 붙여졌습니다.

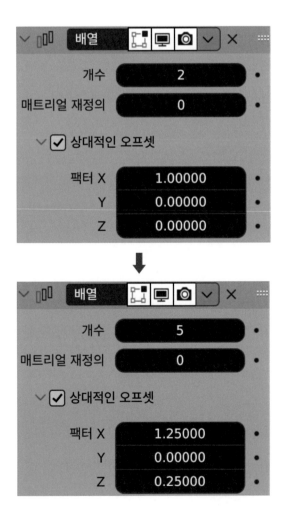

2D 객체이므로, Y 값은 바꾸지 않았습니다.

5.2.2. 미러 모디파이어

미러 모디파이어(Mirror Modifier)는, 사용자가 그리는 그림을 대칭으로 복제하는 기능을 제공합니다. 즉, 사용자가 한쪽에 그린 선이나 형상을 자동으로 반대쪽에 대칭으로 복제해 줍니다.

미러 모디파이어는 대칭 그리기 작업을 지원하기 위해 X, Y, Z축 중 어느 축을 기준으로 대칭 복제할지 선택할 수 있습니다. 단, 우리는 현재 화면에 X축과 Z축만이 나타나게 하고 있습니다.

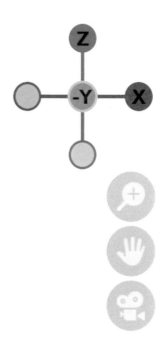

왼쪽에 분홍색 자유곡선을 그렸는데, 오른쪽에도 대칭으로 동일한 모양의 자유곡선이 자동으로 그려졌습니다.

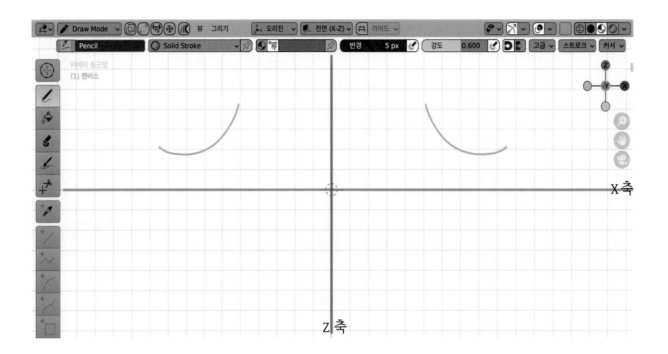

5.2.3. 여러 스트로크 모디파이어

여러 스트로크 모디파이어(Multiple Strokes Modifier)는 한번에 여러 겹의 선을 그을 수 있도록 해줍니다.

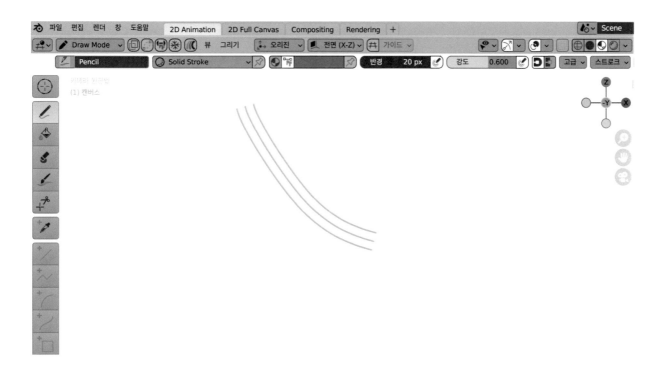

이 모디파이어는 특히 자연스러운 머리카락, 풀, 물결 등과 같은 오브젝트를 표현할 때 유용합니다.

5.2.4. 단순화 모디파이어

단순화 모디파이어(Simplify Modifier)는 스트로크의 제어점의 수를 줄여, 스트로크의 모양을 단순화 시켜 줍니다.

반복(Iterations)의 디폴트 값은 1입니다. 이 값이 높아질수록, 스트로크는 단순하게 됩니다.

반복 = 1

반복 = 3

반복 = 4

5.3. 변형 모디파이어

5.3.1. 노이즈 모디파이어

노이즈(Noise) 모디파이어는 스트로크에 임의의 잡음 또는 난수(亂數)를 추가하여 그림의 텍스처와 외관을 변형하는 기능을 수행합니다.

그리즈 펜슬을 새로 시작하고 오브젝트 모드로 가서, 뷰포트에 다음과 같이 스트로크를 하나 추가합시다!

그리고 속성편집기에서 노이즈 모디파이어를 추가합시다!

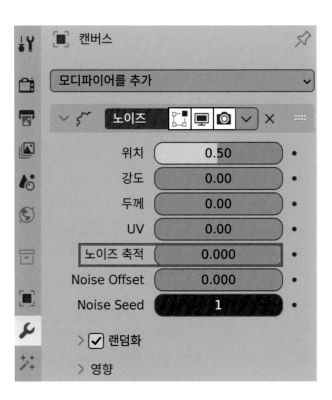

다른 것은 그대로 두고 노이즈 축척(Noise Scale)의 값만 변경합니다.

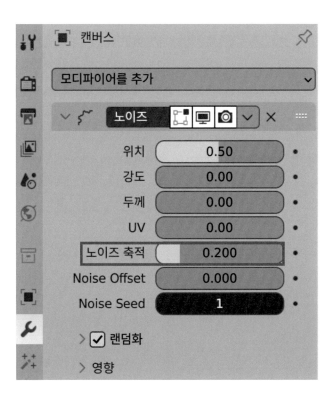

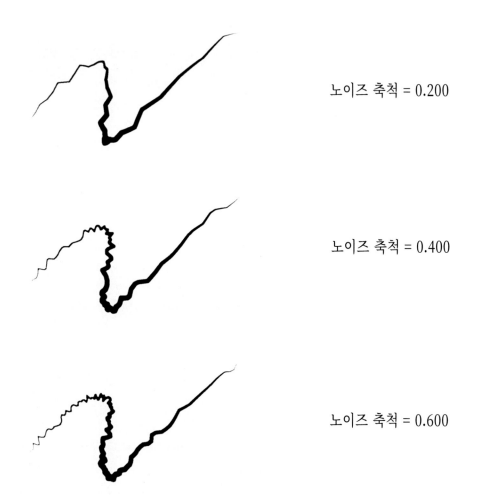

노이즈 축척 = 0.200

노이즈 축척 = 0.400

노이즈 축척 = 0.600

5.3.2. 오프셋 모디파이어

오프셋(Offset) 모디파이어는 스트로크의 위치(Location), 회전(Rotation), 축척(Scale)의 X, Y, Z 값을 조정할 수 있게 해 줍니다.

5.3.3. 스무스 모디파이어

스무스(Smooth) 모디파이어는 스트로크를 문자 그대로 스무스하게, 그러니까, 부드럽게 만들어 주는 기능을
수행합니다.

반복(Repeat)의 디폴트 값이 1로 되어 있습니다.

반복 = 1

반복 = 5

반복 = 10

5.3.4. 두께 모디파이어

두께(Thickness) 모디파이어는 스트로크의 두께를 조절해 주는 기능을 수행합니다.

두께 팩터(Thickness Factor)의 디폴트 값이 1.000으로 되어 있습니다.

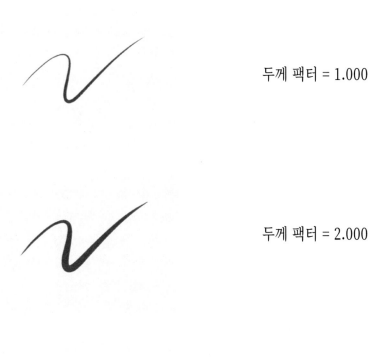

두께 팩터 = 1.000

두께 팩터 = 2.000

두께 팩터 = 3.000

5.4. 컬러 모디파이어

컬러 모디파이어 중에서는 불투명도 모디파이어(Opacity Modifier) 하나만 취급하도록 하겠습니다.

불투명도(Opacity)란, 짐작하시는 대로, 어떤 매트리얼이 얼마나 빛을 투과(透過)시키지 않는지, 그 정도를 말하는 것입니다. 불투명도가 높으면, 투명도(Transparency)가 낮습니다.

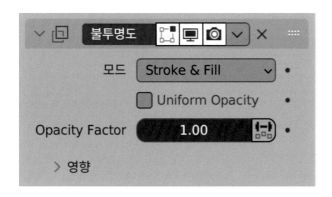

불투명도가 0.00일 경우, 객체는 뷰포트에 전혀 표시되지 않습니다.

Opacity Factor = 0.30

Opacity Factor = 0.50

Opacity Factor = 1.00

6. 스트로크 효과

일러스트레이터를 사용해 보신 분은 좀 더 쉽게 이해하시겠지만, 그리즈 펜슬에서도 일러스트레이터에서와 비슷하게 객체 내지 스트로크를 흐리게 하거나 반짝이게 하는 등 다양한 효과(Effects)를 줄 수 있습니다.

☞ 그리즈 펜슬에서는 효과를 설정할 경우 한 <레이어> 안의 모든 객체 내지 스트로크에 다 영향을 미칩니다. 따라서, 효과를 설정할 때는, 필요한 <레이어>를 따로 만들어야 합니다.

스트로크 효과는 오브젝트 모드와 드로우 모드에서만 작동합니다.

그리즈 펜슬을 완전히 새로 시작합니다. 툴 정보 헤더 오른쪽 부분을 봅니다. 여기에는 뷰포트 객체 표시(Viewport Shading) 모드를 선택할 수 있는 메뉴창이 있습니다.

 디폴트로 매트리얼 미리보기(Material Preview) 모드가 선택되어 있습니다.

 우리는 렌더 미리보기(Render Preview) 모드를 선택합니다.

속성편집기로 가서 비주얼 이펙트 프로퍼티스(Visual Effects Properties) 탭을 클릭합니다.

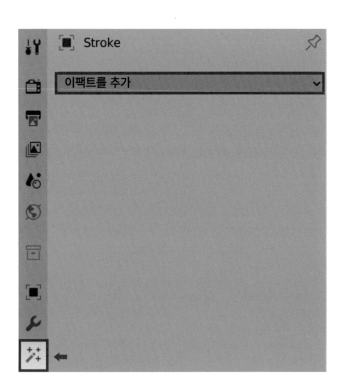 이펙트를 추가(Add Effect)를 클릭합니다.

여기에서 볼 수 있는 대로 모두 9개 종류의
이펙트를 추가할 수 있습니다.

6.1. 블러 효과

그리즈 펜슬에서 블러(Blur) 효과는 객체 내지 스트로크를 흐리게 만들어 주는 효과입니다. 블러 효과를
적용하면 객체 주변에 흐릿한 텍스처가 생성되어, 시각적으로 부드럽고 흐릿한 느낌을 줄 수 있습니다.

그리즈 펜슬을 새로 시작하고, 뷰포트 객체 표시 모드를 렌더 미리보기 모드로 바꿉니다. 또 오브젝트 모드로
전환한 다음, 뷰포트에 그리즈 펜슬 객체인 <수잔>을 추가합니다.

속성편집기로 가서 비주얼 이펙트 프로퍼티스 탭을 클릭한 후, 블러를 선택합니다.

크기의 디폴트 값이 X, Y 모두 50.000으로 되어 있습니다.
이 값이 증가할수록, 객체는 더 흐려집니다.

x=0.000, y=0.000   x=50.000, y=50.000   x=100.000, y=100.000

6.2. 컬러라이즈 효과

컬러라이즈(Colorize)란 원래 흑백 이미지나 그레이스케일 이미지에 천역색 컬러를 넣어 주는 것을 의미합니다. 그래서 이것을 착색화(着色化)라고 번역하기도 합니다.

그러나 그리즈 펜슬에서 컬러라이즈 효과는 천연색 컬러 이미지를 그레이스케일 이미지로 바꾸어 줄 때 많이 적용됩니다. 또 세피아 모드의 이미지, 콘트라스트가 높은 이미지, 투명한 이미지를 만들 때도 적용할 수 있습니다.

6.2.1. 그레이스케일 모드

잘 아는 대로, 흑백 이미지는 1비트 이미지이므로, 검정색과 흰색 두 가지만 표현만 표현합니다. 반면, 그레이스케일(Grayscale) 이미지는 2비트 이상의 이미지입니다. 보통은 8비트 이미지입니다. 8비트 그레이스케일 이미지는 2^8, 곧, 256색을 표현할 수 있습니다. 즉, 빛이 가장 강한 흰색 및 가장 약한 검정을 포함하여, 그 중간의 254가지 회색을 명암에 따라 표현할 수 있습니다.

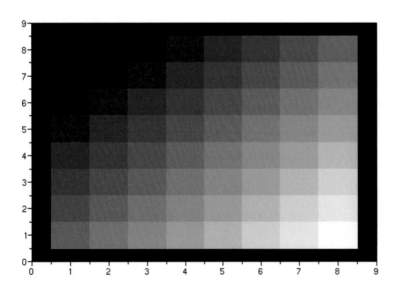

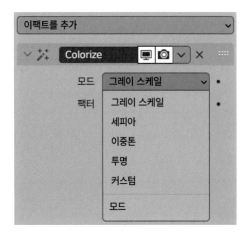

그리즈 펜슬에서 객체에 컬러라이즈 효과를 적용할 때 그레이스케일 모드를 선택하면, 팩터의 디폴트 값이 0.500으로 제시됩니다. 팩터의 범위는 0.000부터 1.000까지입니다.

| 0.250 | 0.500 | 0.750 | 1.000 |

6.2.2. 세피아 모드

세피아(Sepia)는 본디 헬라어로 '오징어'를 의미했습니다. 오징어의 먹물을 가공하면, 암갈색(暗褐色) 물감을 얻을 수 있습니다. 화가들 중에는 레오나르도 다빈치(Leonardo da Vinci, 1452~1519)처럼 이 물감으로 그림 그리기를 좋아하는 사람들이 있었습니다.

다빈치의 자화상으로 알려진 그림

(1512년 경 작품)

세피아 톤이 사진에 적용되기 시작한 것은 19세기 말이었습니다. 세피아 톤의 사진은 고색창연한 느낌을 줍니다.

1895년에 촬영된 영국인 커플의 세피아 톤 사진

출처: Wikimedia Commons

그리즈 펜슬에서 세피아 모드 팩터의 디폴트 값은 0.500입니다. 팩터의 범위는 0.000부터 1.000까지입니다.

0.000   0.500   1.000

6.2.3. 이중톤 모드

이중톤(Duotone) 모드는 이미지를, 색상(色相, Hue) 및 명도(明度, Brightness)의 대비(對比, Contrast) 값이 높은 포스터 이미지(posterize image)로 변환시켜 줍니다.

포스터 이미지는 색상과 톤의 수를 대폭 줄여, 단순화시킨 이미지를 말합니다. 포스터 이미지는 뚜렷하고 강렬하다는 인상을 줍니다.

대비 혹은 콘트라스트는 밝기 콘트라스트(Tonal Contast)와 색상 콘트라스트(Color Contast)로 나눕니다.

그리즈 펜슬에서 이중톤 모드 팩터의 디폴트 값은 0.500입니다. 팩터의 범위는 0.000부터 1.000까지입니다.

여기서 하이 컬러(High Color)는 이미지에서 색상을 선명하게 표현하고, 대비를 강조하는 색입니다. 반면, 로우 컬러(Low Color)는 이미지에서 색상을 흐릿하게 표현하고, 대비를 강조하지 않습니다.

그리즈 펜슬에서는 로우 컬러의 디폴트 색상을 검은색으로, 하이 컬러의 디폴트 색상을 흰색으로 정해 놓았습니다.

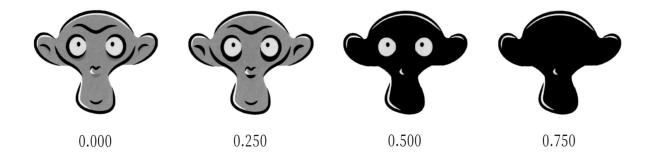

| 0.000 | 0.250 | 0.500 | 0.750 |

우리는 로우 컬러를 빨간색으로, 하이 컬러를 녹색으로 바꾸겠습니다. 그전에 보색(補色, Complementary Colors) 개념을 언급하고 넘어가겠습니다.

보색은 색상환(色相環, Color Wheel)에서 서로 마주 보는 색을 말합니다. 예를 들어, 빨간색의 보색은 초록색이며, 파란색의 보색은 주황색입니다.

보색 대비(Complementary Contrast)를 사용하면, 시각적 효과를 높일 수 있습니다.

| 0.250 | 0.500 | 0.750 |

6.2.4. 투명 모드

투명(Transparent) 모드는 객체에 투명도(Transparency)를 부여합니다. 팩터의 디폴트 값은 0.500이며, 팩터의 범위는 0.000부터 1.000까지입니다.

| 0.250 | 0.500 | 0.750 |

6.2.5. 커스텀 모드

커스텀(Custom) 모드는, 객체에 사용자가 선호하는 색을 지정하여 적용할 수 있게 해 줍니다. 디폴트 컬러는 검은색이고, 팩터의 디폴트 값은 0.500입니다. 팩터의 범위는 0.000부터 1.000까지입니다.

커스텀 컬러를 파란색으로 바꾸겠습니다.

0.250   0.500   1.000

6.3. 뒤집기 효과

뒤집기(Flip) 효과란 객체를 수평 내지 수직으로 뒤집는 것을 말합니다. 이때 객체를 수평이나 수직, 어느 한 방향으로만 뒤집을 수도 있고, 수평 및 수직, 두 방향으로 다 뒤집을 수도 있습니다.

뷰포트 중앙에 다음과 같은 스트로크가 하나 있다고 해 봅시다!

이것을 X축을 따라 -2m 이동시키고, Z축을 따라 0.6m 이동시킵니다.

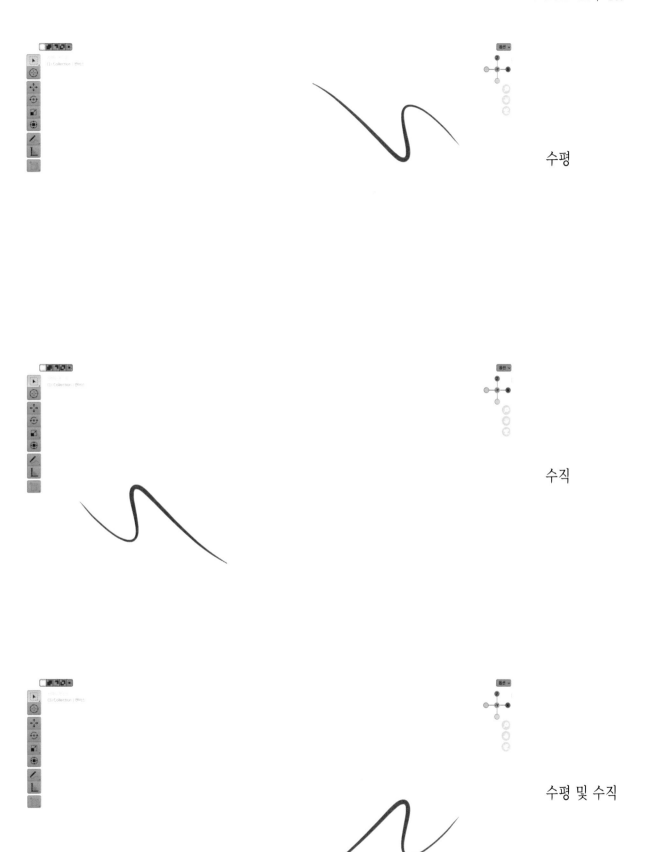

수평

수직

수평 및 수직

6.4. 글로우 효과

글로우(Glow) 효과는 객체로 하여금 형광 내지 야광 같은 빛을 발하도록 만듭니다.

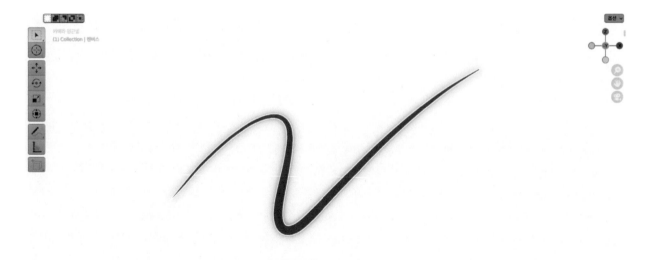

6.5. 픽셀레이트 효과

픽셀레이트(Pixelate) 효과는 그림이나 이미지를 픽셀 형태로 변환하여, 픽셀 아트 스타일의 효과를 만들어 내는 기능입니다.

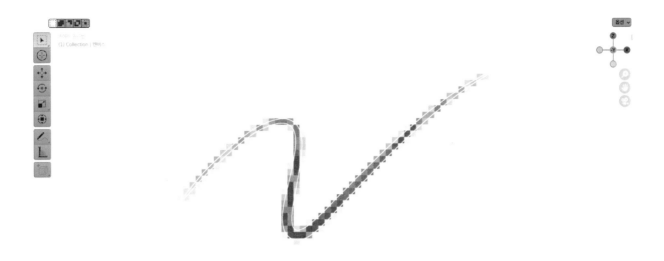

안티앨리어싱(Antialiasing)은 픽셀레이트 효과를 적용할 때 발생할 수 있는 계단 현상을 완화시키는 기술입니다.

6.6. 가장자리 효과

여기서 가장자리 혹은 림(Rim)은 객체의 윤곽선을 말합니다. 가장자리 효과는 객체의 윤곽선이나 그 주변이 마치 빛나는 듯한 느낌을 주게 만듭니다.

Rim 컬러를 녹색으로 변경해 줍시다!

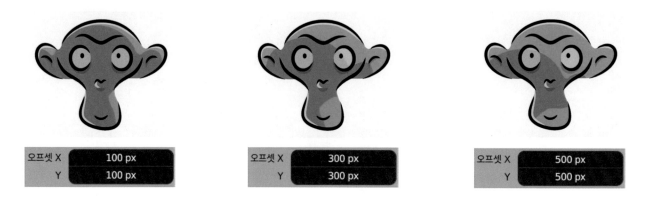

6.7. 웨이브 왜곡 효과

웨이브 왜곡(Wave Distortion) 효과는 그림이나 이미지에 물결 모양의 왜곡 효과를 추가하는 기능입니다.

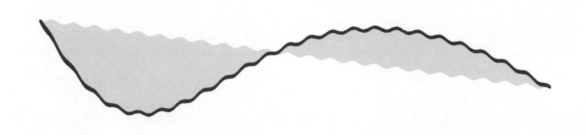

6.8. 섀도우 효과

섀도우(Shadow) 효과는 객체에 - 문자 그대로 - 그림자(Shadow)를 추가하는 기능입니다.

오프셋의 X 값이 현재 15px로 되어 있습니다. 이것을 100px로 변경해 봅니다.

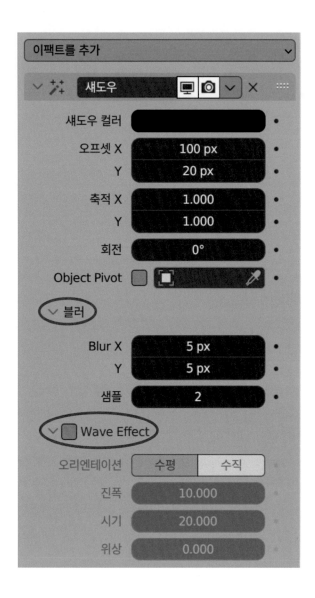

새도우 효과를 적용할 때는 블러 효과와 웨이브 왜곡 효과를 동시에 적용할 수 있게 되어 있습니다. 단, 웨이브 왜곡 효과는 활성화를 시켜 주어야 합니다.

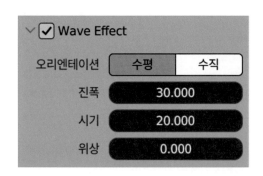

웨이브 왜곡 효과를 활성화시켜 준 다음, 진폭(Amplitude)을 30.000으로 높여 봅시다!

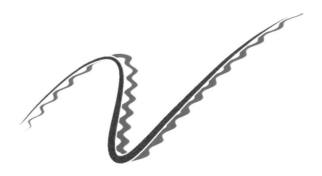

이 상황에서 만약 블러의 X 값과 Y 값을 모두 50px로 올려 준다고 하면, 그림자는 이런 모습으로 바뀌게 됩니다.

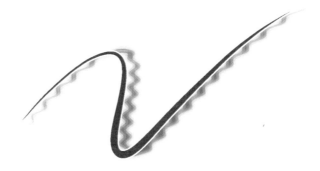

블렌더 그리즈 펜슬 기초

발 행 | 2023년 7월 7일
저 자 | 김광채
펴낸이 | 한건희
펴낸곳 | 주식회사 부크크
출판사등록 | 2014.07.15.(제2014-16호)
주 소 | 서울특별시 금천구 가산디지털1로 119 SK트윈타워 A동 305호
전 화 | 1670-8316
이메일 | info@bookk.co.kr

ISBN | 979-11-410-3355-2

www.bookk.co.kr
ⓒ 김광채 2023
본 책은 저작자의 지적 재산으로서 무단 전재와 복제를 금합니다.